光文社文庫

永遠の途中

唯川　恵

光　文　社

Contents

永遠の途中

age.27

† 薫

すべてにおいて、女は、大概ふたつに分けられる。

たとえば美しいかそうでないか。たとえば金持ちか貧乏か。たとえば楽天的か悲観的か。

そして、たとえば、幸運か不運か。

それは選ぶのではなく、ほとんどの場合、自分の意志とは関係なく備わった、いわば運命のようなものだ。なのに人はそのことに気づかず、背伸びしたり肩肘《かたひじ》を張ったりして自分を装う。そのうち道に迷い、やがて出口が見つからなくなる。

二十七歳になった時、伊《い》田《だ》薫《かおる》は自分がどちらの人間か、ようやく認める気になった。

入社して五年、仕事はそれなりに頑張ってきたと思う。

残業も出張もいとわず、有給休暇は毎年、半分も消化しなかった。広告代理店という仕事柄、クライアントにセクハラまがいのことをされても我慢してきた。ストレスで生理が止まったり、頭の中に小さな円形脱毛症を見つけたこともある。そんな毎日を経《へ》たからこそ、ようやく認める決心がついたのだった。

『私は仕事に生きる人間じゃない』

それを認めたら、急に気持ちが楽になった。

今となると、どうして仕事に生きようなんて思ってしまったのか理解に苦しんでしまう。たぶん、受験戦争と就職難を勝ち抜いて、人気の高かった一部上場のこの会社に総合職として勤めた時、周りの雰囲気に圧倒されるようにそんな気持ちになったのだろう。

たやすく「結婚」なんて言葉を口にしてはいけない気がした。ましてや「専業主婦も悪くない」などと、口が裂けても言えるはずがなかった。

けれど、もう頑張って生きてゆくのは疲れた。誰かに頼りたい、守られたい、それが正直な気持ちだ。そうして、その誰かのために料理を作り、居心地のよい部屋を用意し、愛らしい子供と一緒に夫の帰りを待つ生活がしたい。

そんな結論に至った大きな原因のひとつに、同じ部署にいる笹原郁夫《ささはらいくお》の存在があることは、否定できない。

もうかなり前から、オフィスの中で、社員食堂で、飲み会で、薫は目の端で郁夫の姿を追う自分に気づいていた。

郁夫は三十一歳。派手さはないが、堅実な仕事ぶりと、信頼できる人柄で、大手企業の顧客を何社も抱えていた。当然、上司からの信頼も厚く、将来を属望《しょくぼう》されている。かと言って出世にキリキリしているようなところはなく、ざっくばらんで、人を笑わせる余裕もあり、後輩たちの面倒見もいい。

　女性社員の何人かが、郁夫を意識しているのは知っていた。もっと露骨な言い方をすれば、狙《ねら》っていた。特に一般職と呼ばれる女性たちは、結婚相手を見つけるのに躍起になっていて、彼女らが郁夫を「カモ」にするのも当然だった。

　たとえば、総務の二十四歳のロングヘアは、さして用もないのにさかんに社内メールを使って郁夫にメッセージを送っている。受付に座る胸の大きい二十三歳は、郁夫が前を通るたび「お疲れさま」「お帰りなさい」に加えて、他の社員には決して見せない特別な笑顔を向ける。秘書課のいつも七センチのヒールを履いた二十六歳は、もっと露骨にランチやディナーに誘っている。

　そのことに、内心、穏やかならざるものを感じながらもやり過ごしているのは、当の郁夫が彼女らのアピールにまったく気づいてないからだ。そういう無頓着《むとんちゃく》なところが郁夫にはあった。そこに薫はますます惹《ひ》かれていた。

　広告代理店という職業柄、女性関係が派手な男たちは多い。景気が悪いと言われながらも、経費という名目で使える金額はまだ十分にあり、そうなると当然のことながら女の子たちにいい格好をしたがる。けれど、少なくとも郁夫にそれはなかった。むしろ、同僚たちと居酒屋や焼き鳥屋に行くのを好むようなタイプだった。

　そんな郁夫に対する思いは、もう自分でも認めているのだが、どんな形で自分の思いを伝えるかとなると、話は別だった。正直言うと、どうすればいいのか見当もつかなかった。当たって砕けろ、の心意気でぶつかるには、少しは世の中を知るようになっていたし、臆病《おくびょう》にもなっていた。

少し前、大学時代の友人が、今の薫と同じように同僚を好きになり、迷った挙げ句にそれをやって本当に砕け散ってしまい、今も立ち直れないままでいる。先日の電話では、会社を辞めて田舎に帰ろうか、とまで言っている。

当たって砕けろ、ができるのは、若さを武器にできる年齢までか、八割方成功するという確信がある時でなければ、してはいけない。恋愛に計算は必要ないというけれど、やみくもに思いをぶつけるのは、どう考えても二十七歳の女のやり方ではない。

だったら、どんな方法が有効なのか、どうしたら郁夫の気持ちを自分に向かせることができるのか、考えてはいるのだがどうにも思い浮かばず、結局、ジレンマだけが膨らんでゆくばかりだ。

けれども、そんな悠長なことを言っている場合ではないということを、薫はようやく知ることになった。

それは、たまたま同僚の篠田乃梨子《しのだのりこ》と、最近、代官山にオープンしたばかりのベトナム料理屋に出掛けた時だった。

乃梨子とは同期入社で、同じ部署に所属しているということもあり、ずっと親しく付き合って来た。仕事の悩みやプライベートのこともそれなりに打ち明け合う間柄で、社内ではいちばん気心の知れ合った友達と言えるだろう。

けれども、それはある意味で、常に意識せざるを得ない相手でもある、ということだ。乃梨子は頭がよく、仕事もできる。すらりと背が高く、美人だし、話もうまい。どちらかと言うと童顔で小柄な薫とは対照的だ。当然ながら、ふたりはよく比較された。そうして、いつも薫が思うのは、すべてにおいて、自分は乃梨子より少しずつ劣っている、ということだった。

外見だけのことではない。たとえば、上司にデータ作成を頼まれて、乃梨子が三時間かかるとすれば、薫は三時間半かかる。年下の女の子たちが十人いるとしたら、相談相手として選ぶのは乃梨子が六人、薫は四人というところだ。

完璧《かんぺき》に負けているなら、もっとシンプルに認められる。けれど、ほんの少し、というところがどこかいたたまれない。

生春巻を食べながら、乃梨子がめずらしく、いくらか愚痴めいた口調で言った。

「昨夜《ゆうべ》ね、田舎の母親から電話があったの」

「何かあったの？」

「つまんないこと。同い年の従姉妹《いとこ》の結婚が決まったんですって」

「ああ、あるわよね、そういうの」

薫はワインのグラスを持つ手を止めて、頷《うなず》いた。

「うちだって、幼なじみの○○ちゃんはもう子供がいるのにって、最近はそういう話ばっかりだもの。イヤになるわ」

「田舎の感覚だと、二十七歳はもうりっぱな嫁《い》き遅れなのよね」

「まだ二十七歳なのよって言っても、通じないの」

それから、ふと聞いてみたくなった。

「ねえ、乃梨子は結婚のこと、どう考えてる?」

乃梨子はワインをゆっくりと口に運んだ。

「そりゃあ、したいわ」

あっさりと答えが返ってきた。

「そうなの?」

意外な言葉に、薫は乃梨子の顔を眺めた。

「変?」

「変じゃないけど、ちょっとびっくり。結婚なんか興味ないって思ってた」

「そんなことないわよ、今すぐってわけじゃないけど、私だっていつかは人並みの幸せが欲しいもの」

そう言って、かすかに首をすくめた乃梨子は何だかいつもと違って可愛らしく見えた。

「もしかして、好きな人いるの？」

「いやね、いないわよ」

即座に答えたものの、乃梨子は薫から目を逸《そ》らし、唇に柔らかな笑みを浮かべている。すぐに察しはついた。

「やだ、いるんだ」

「いないって」

「ねえ、誰？」

薫はわずかにテーブルに身を乗り出した。

「いいじゃない、教えてくれたって」

「そうじゃないの、好きっていうのとちょっと違うの、まだそういうところまでいってないの」

「じゃあ、どんな感じなの？」

「人間的に信頼してるって言った方がいいかな。その人だったらきっと間違いないって気持ちになるの。一緒に仕事をしてても、とにかく安心できるのよ」

「えっ、会社の人なの？」

乃梨子はハッとしたように薫を見つめ返した。

「やだわ、私ったら」

その時、いやな予感がした。まさかと思い、もしかしたらと考えた。もちろん、そんな思いはおくびにも出さず、むしろ無邪気さを装って食い下がった。

「誰？」

「だから、好きってわけじゃないんだって」

「だったら尚更《なおさら》、教えてくれてもいいじゃない」

「ワイン、もうハーフ頼む？」

「高橋さん？　石橋さん？　野田さん？　それとも桜井さん？」

薫は思いつく独身男の名前を挙げていった。そのひとりひとりに、乃梨子は笑って首を振った。

「違うって」

そして最後に、その名を口にした。そうでありませんようにと、祈る気持ちで。

「じゃあ、笹原さん？」

その名前が出た瞬間、乃梨子の頬《ほお》にふわりと浮かんだ甘やかな恥じらいを、薫は見逃しはしなかった。

「違うわ。薫の知らない人よ」

あの瞬間から、自分は変わったのだと薫は思う。

乃梨子にはいつだって差をつけられて来た。その差はほんのちょっとで、もしかしたら誰も気づいていないかもしれない。乃梨子も考えてもいないかもしれない。けれども、薫は自覚していた。そのほんのちょっとの負けは、たぶん、これからも決して覆すことができないだろうということを。

けれども、郁夫のことだけは負けるわけにはいかなかった。今はまだ、乃梨子は自分の思いを強く意識していないようだ。けれども、何らかのきっかけでそうなるかわからない。

その時、きっと負ける。今までそうだったように、ほんのちょっとの差で。そうして、郁夫は乃梨子のものになる。

「どうかした？」

乃梨子がワインでわずかに染まった目を向けた。

「ううん」

郁夫だけは、渡したくない。乃梨子に取られるくらいなら、総務の頻繁にメールをよこす子や、受付の胸の大きい子や、秘書課のこれみよがしの子に取られた方がまだマシだ。

どうしてそんなことを思うのか、自分でもわからなかった。同性としては彼女らより乃梨子の方がずっと好きだし、人間的にも上質だと思う。けれども、郁夫を間に挟むとなれば、話は別だった。それは薫自身が驚くような、強い感情だった。

そんな自分を、薫自身が呆気《あっけ》にとられるような思いで眺めていた。

数日後。

「実は相談に乗ってもらいたいことがあるんだけど」

そんな陳腐なセリフしか思い浮かばない自分が歯痒かった。けれども何か言わなければ、郁夫はこのままタクシーに乗り込んでしまう。

今日、急遽《きゅうきょ》クライアントの接待を郁夫と共にするよう課長から言われた時、これはひとつのチャンスだと思った。とにかく今夜、何らかの行動を起こしたい。自分を印象づけるにはいったい何をしたらいいだろう、興味を持ってもらうにはどうしたらいいだろう。

「今？」

郁夫は当然ながら、困った顔をした。もう十二時を過ぎていて、銀座のタクシー乗り場はかなりの人が並んでいた。

「今夜は遅いから、また日を改めてというのはどう？」

けれど、もう後には退《ひ》けない。退いたら、二度とチャンスはないように思えた。少し酔っているのかもしれない。とにかく切羽詰まった気持ちだった。

「できれば、今」

少し考え、やがて郁夫は頷いた。

「わかった、じゃあちょっと飲もうか」

そう言ってタクシーの列から離れ、そう遠くはないショットバーに案内してくれた。初老の無口なバーテンダーがひとりでやっている店だった。

カウンターの隅に並んで腰を下ろし、郁夫はシングルモルトの水割りを、薫は軽めのカクテルを注文した。

「それで、相談って？」

薫は焦った。こうなった以上、何か悩みを言わなければ格好がつかない。とにかく思いつくことを並べてみた。たとえば、課長とうまくいかないとか、後輩の女性社員との仕事の配分をどうしたらいいかとか、気難しい顧客がいてどう対処すればいいのかわからないとか、仕事にやりがいが見つけられないとか、本当は自分には向いてないんじゃないかとか。そんなどうでもいいようなことを片っ端から口にした。

郁夫は黙って聞いている。呆《あき》れているのかもしれないと思った。そんなくだらない愚痴を聞かせるために引き止めたのか。

きっとそうだ。どうしよう、どうしよう。

そのうち、自分がいったい何を話しているのか、それさえわからなくなっていった。

「ごめんなさい」

薫は謝った。言うと同時に、不意に涙がこぼれ落ちた。

「どうしたの」

郁夫が驚きの目で薫を見つめている。

「ごめんなさい。言いたいことは、本当はそんなことじゃないの」

当たって砕けろなんて、二十七にもなった女がするべきことじゃないのはわかっていた。それでも口にするしかなかった。言葉が胸の奥から溢《あふ》れてくるのを止めることができなかった。

「あなたのことが、ずっと好きだったの」

「え……」

それきり、郁夫は言葉を失っていた。

† 乃梨子

どうして誰しも、人を、どちら側の人間かとやたらに決め付けようとするのだろう。

「あなたは仕事に生きる人ね」

乃梨子はよくそう言われる。そうして、そう言われるたび、どう答えればいいのかわからなくなる。

もちろん仕事は好きだ。任された仕事は責任を持ってやってきたし、自らも率先して新しい企画を提出してきた。新規顧客の獲得に心を砕いてきたのも「所詮《しょせん》、女だから」などと言われたくなかったからだ。

けれど、仕事がすべてというわけじゃない。仕事から解放されれば、二十七歳の普通の女だ。恋愛だってするし、いつかは結婚したいとも思っている。

ただ、結婚しても仕事を辞めるつもりはなく、仕事と家庭を両立させたいと思っている。それは働く女性として自然な欲求だと思うのだが、他人には贅沢《ぜいたく》な望み、さもなくば、現実を知らない空論、ということになるらしい。

「本気で仕事をするなら、結婚は負担になるだけよ。男なんか最初は協力するなんて言っていても、一年もたたないうちに『おいメシ』なんてことになるんだから。ましてや、子供なんて持とうものなら、何をおいても家庭を優先するしかないの。やれ熱を出したの、親の集まりだの、どうしても仕事にシワ寄せがいくんだから。夫？　代わってくれるわけがないじゃない。そういうのは母親の仕事だって頭から決め付けてるの。あなたの理想はわかるけど、現実はそういうものなのよ」

先輩の女性社員に言われた時、乃梨子はひどく反発を感じた。

世の中、そんな男ばかりじゃないはずだ。たまたま自分がそんな男と結婚したからといって、誰もがそうなるわけじゃない。

確かに、その先輩社員は、乃梨子が入社した頃は、男性社員も驚くほど精力的に仕事をしていた。初の女性幹部候補生で、いつかは役職のポストに就くだろうと期待されていた。それが商社マンと結婚し、半年後に妊娠してから、状況は驚くほど変わっていった。

悪阻《つわり》がひどく、まともにデスクに座っていられなくなり、五ヵ月の頃には切迫流産の危険性で二週間入院し、産休育休で一年休み、それが明けて職場復帰したものの、子供の身体《からだ》が弱いらしく遅刻、早退、欠勤を繰り返している。仕事中に、保育所から電話が掛かり、飛んで帰ることもしばしばだった。

当然ながら、重要な仕事からははずされ、今では本人が「九時五時で終われる楽な仕事」を希望している。

こんな状況になったのは、彼女ひとりの責任ではないだろう。夫は妻の仕事をどう思っているのだろう。

結局、選ぶ相手を間違えたとしか思えない。

乃梨子はそんな男などごめんだった。共に働くことを協力ではなく当然と受け止める男。妻としての自分の生き方を理解し尊重してくれる男。そうでなければ結婚する意味がない。

今まで何人かの男たちと付き合って来たが、残念ながらそんな男は確かに数少ない。やはり諦《あきら》めるしかないか、と思ったこともある。

けれどもようやく、もしかしたら、と思えるような男と出会うことができた。

同僚の笹原郁夫。

もう長く一緒に仕事をしてきたからこそわかる。彼ならきっと、乃梨子をどちら側の人間かなどと決め付けたりはしないに違いない。

もっと、彼のことを深く知りたい。そんなことを思い始めた矢先だった——。

帰りぎわ、薫からめずらしく改まった口調で誘われた。

「話があるの」

その時は、何か仕事上のトラブルかと思っていた。

赤坂の和食屋で向き合った時、薫がやけに綺麗《きれい》になっていることに気がついた。化粧のノリもよく、表情が柔らかくなっている。

ビールでとりあえずの乾杯をして、グラスを置くと、薫はまるで少女のようにはにかみながら目を伏せた。さすがに、仕事のことではない、というくらいの察しはついた。

「実は私、婚約したの」

乃梨子は思わず顔を上げた。

「ええっ、そうなの。やだわ、びっくり。前に会った時はぜんぜんそんなこと言ってなかったじゃない」

薫は小さく肩をすくめた。

「何だか急に決まっちゃって」

「へえ、そうなの。ねえ、それで相手はどんな人?」

「それがね」

短い息つぎの後、薫は言った。

「笹原さんなの」

その瞬間、自分はどんな顔をしただろう。失敗はなかったはずだ。ほんの一秒にも満たない動揺を、乃梨子は素早く笑顔で覆い隠した。

「あら、そうなの」

「乃梨子にはもっと早く話そうと思ってたんだけど。つい言いそびれて」

乃梨子は声が裏返ることのないよう気をつけながら答えた。

「そうよ、もっと早く打ち明けてくれてもよかったのに水臭いわ。いったいいつから付き合ってたのよ」

何でもないように尋ねながらも、グラスを手にした指先は冷たい。

「半年ぐらい前かしら」

半年……。

乃梨子は薫と代官山でベトナム料理を食べた時のことを思い出していた。あの時、つい気が緩んで「気になる男がいる」というようなことを話してしまった。それが郁夫だとは言ってないが、もしかしたらその時すでに、薫は彼を狙っていたのかもしれない。もっと勘繰れば、乃梨子の気持ちに薄々気づき、慌《あわ》てて何らかの行動に移したのかもしれない。そういう勘の鋭さと、機転の利くところが、薫にはある。

「ねえ、きっかけは何だったの？」

「何となくよ。以心伝心っていうのかな」

同期入社の薫とは、同僚として親しく付き合ってきた。周りから見れば、もしかしたら親友のように映ったかもしれない。けれども、乃梨子はいつもどこかで、薫にコンプレックスを感じていた。

どんなに仕事を頑張っても、上司や同僚のウケがいいのはいつも薫の方だった。色白で小柄で、笑うと笑くぼが出て、人懐っこい印象を受ける薫は、取引先からも人気が高く、「彼女を呼んでよ」などと顧客から言われることもあった。

「彼女がいると、何となく場が華やぐんだよね」

その通りだ。女としての愛らしさのようなものが薫には備わっていた。たとえば髪を振り乱さんばかりの仕事を抱えている時、乃梨子なら「大変だね」と労《いたわ》られるが、薫なら「手伝おう」との声が掛かる。

それは、女として決定的な違いだった。そんなことは入社してすぐわかっていたのに、郁夫と婚約したと聞いた今、どうしてもっと早く手を打たなかったのだろう、と悔やまれてならなかった。

郁夫が何かプロジェクトに関わる時は、チームの中に必ず乃梨子を推した。女性社員の誰より、いや男性社員より、一緒に仕事をしてきたはずだった。信頼されていたし、それ以上に信頼してきた。多くのトラブルも共に乗り越えて来た。彼の仕事ぶりも人間性もよくわかっている。同時に、乃梨子自身も理解されていると信じていた。

だからこそ、もしかしたら、と思っていた。もしかしたら郁夫も自分と同じ気持ちでいるのではないか。

一度だけキスしたことがある。もう一年以上も前のことだ。接待の帰りで酔ってはいたが、郁夫がふざけているとも思えなかった。

どうしてあの時、背を向けて走りだしてしまったのだろう。拒否するつもりはなく、ただ、突然のことで驚いてしまっただけだ。けれど、郁夫にはそう受け取られなかったのかもしれない。

そんなことも、今となってはお笑い草だ。郁夫の気持ちはすっかり薫に向いていたわけだ。

「おめでとう」

乃梨子は精一杯の笑みを浮かべた。

「ありがとう」

薫が鷹揚《おうよう》な態度でそれに応える。

「笹原さんなら夫として最高だと思うわ。仕事にも理解があるから、家庭との両立もきっとうまくいくわ」

「仕事は辞めるの」

薫はあっさりと言った。

乃梨子は改めて顔を上げた。

「どうして。これからって時じゃない」

「いろいろ考えたんだけどね」

「笹原さんが辞めて欲しいって言ってるの？」

「ううん、そういうわけじゃないけど」

「そうよね、笹原さんはそんな人じゃない」

「ただ、何となくわかるの」

「わかるって？」

「彼、口では好きにすればいいって言ってくれてるけど、本心では、家に帰ったら食卓に温かい夕食が並んでいるような生活がしたいんだろうなって。でも、そういうこと言うと横暴な男みたいに思われるでしょう。だから無理してるの。週末、私がお料理を作ってあげると、すごく喜んでくれるわ。会社で見せる顔とはぜんぜん違う子供みたいにはしゃいだ顔よ。そういうの見るとわかるのよ、本当はどうして欲しいのか」

薫がちらりと上目遣いの視線を向けた。その目にどこか優越の色が滲《にじ》んでいるように見えたのは、自分の僻《ひが》みだろうか。

「仕事を続けようと思えば続けられないこともないわ。でも、やっぱり私には無理。きっと仕事も家庭も中途半端になってしまう」

「うちの社にも夫婦共稼ぎはたくさんいるわ」

「でも、そのほとんどが、夫婦ともに疲れ切った顔をしてる」

乃梨子は口を噤《つぐ》んだ。

「彼と付き合い始めてから、女の幸せって何だろうってずっと考えたわ。お互いに仕事を持って対等な関係で暮らしてゆくっていうのも悪くないと思うのよ。でもね、私は彼に今まで以上の仕事をして欲しいの。だからサポート役に徹することに決めたのよ。それだって今の仕事に匹敵するくらいやりがいのあることでしょう。何より、そうするのが私の幸せなのよ。私は乃梨子と違って、もともと仕事に生きるタイプじゃないしね」

私は別に……と言いかけてやめた。言うことなど何もなかった。

乃梨子はビールを口にした。舌がじんと痺《しび》れるくらい苦いビールだった。


ふたりの婚約のニュースは、じきに社内に知れ渡った。

祝福や冷やかしに囲まれて、薫はいっそう綺麗になっていった。そんな薫を離れたデスクで眺めながら、本当にこれでいいのか、乃梨子は揺れている自分を感じていた。

仕事は好きだし、一生続けたいと思っている。それを理解し、互いに協力を惜しまない結婚があるはずだと信じてきた。その相手はもしかしたら、郁夫ではないかと、密かに胸の奥で期待した。

けれど、そうではなかった。郁夫は結局、家で自分の帰りを待っているような相手を求めていた。

だったら、これでよかったではないか。間違って郁夫みたいな男と結婚していたら、後が大変だった。薫と結婚するのが、結局、お似合いだったのだ。

と、自分に言い聞かせてみても、胸の中にはぽっかりとした空虚が広がっていた。

本当にそうだろうか。仕事よりもっと大切なものがあるのではないだろうか。私は何か間違った選択をしてしまったのではないのだろうか。そんな思いがどうにも拭《ぬぐ》えない。

それからしばらくして、帰りぎわ、社の玄関先で郁夫と顔を合わせた。

お疲れさま、と、声を掛けてから、乃梨子はもう一度振り返った。

「ねえ、よかったら少し飲まない？」

郁夫は一瞬戸惑ったような顔をしたが、すぐにいつもの同僚としての気安さで答えた。

「いいね、行こうか」

駅の近くの居酒屋に入った。ここは社員もよく利用する。だからこそ、郁夫はこの店を選んだのだろう。たとえ見られても、妙な誤解を招かずに済むということだ。

まずはビールで乾杯した。

「笹原さんと薫の結婚を祝って」

「よしてくれよ」

苦笑いしながらも郁夫はグラスを合わせた。

「まさか、ふたりが付き合ってるなんて、ぜんぜん気がつかなかったわ。何がきっかけだったの？」

「勘弁してくれよ」

「いいじゃない、教えてよ」

「つまんない話だよ」

「聞かせて。私にも少しは聞く権利があるはずよ」

そんなつもりはなかったが、声が硬くなり、慌てて付け加えた。

「仲のいい同僚として」

郁夫は一度、乃梨子に顔を向け、それで覚悟を決めたようだった。

「半年ぐらい前かな、突然彼女から好きだと言われた」

やっぱり薫の方から仕掛けたのだ。瞬く間に気持ちが強《こわ》ばった。

「すごくびっくりした。彼女は、何て言うのかな、自分からそういうことを口にするタイプじゃないって思ってたからね。男にちやほやされるのに慣れてるっていうか。実際、初めてだったらしくて、すごく緊張している彼女を見てたら、何だかいじらしいような気分になったんだ」

それが薫の手だということがどうしてわからないのだろう。女なんて、好きな男をモノにするためなら少女にだって娼婦にだってなれる。

ああ、私は何て嫌なことを考えているのだろう。

「それでイチコロってわけね」

わざと明るく乃梨子は言った。

郁夫は首をすくめた。

「まあ、早い話、そういうことだ」

「おめでとう」

「うん、まあ、何と言えばいいか」

「ありがとう、でしょう」

「そうだな、ありがとう」

乃梨子はビールを口にした。それから、自分としては精一杯の言葉を返した。

「羨《うらや》ましいわ」

「羨ましい？　君が？」

郁夫は目を丸くした。

「変？」

「変と言うより、似合わないよ」

その時、郁夫の携帯電話が鳴りだした。郁夫は胸ポケットからそれを取り出し、短く返事をし、再びポケットに戻した。

「薫？」

「うん、まあね」

「もしかして、約束があったの？」

「大した約束じゃないんだ」

「だったら最初に言ってくれたらよかったのに。そうしたら飲みになんか誘わなかったのに」

「ちょっと、俺も君と話しておきたかったんだ」

それから郁夫は少し改まった顔をした。

「あの時のことだけど」

「あの時？」

もちろん、乃梨子はわかっていた。

「ずいぶん前だけど、俺、酔って君に何て言うか……悪いことをしたなぁってずっと思ってたんだ」

「何のこと？　私、何も覚えてないけど」

「そうか、覚えてないならいいんだ。正直言うと、あの時、君にちょっと惚《ほ》れてたんだ。あっさりフラれたけどね」

頬が強ばった。

本気だったの？　とは問い返せなかった。

問い返しても、もうどうにもならないことは明らかだ。ここで今更確認しても、もっといたたまれなくなるだけではないか。

「そんなこと、何も覚えてないわ。だから、謝ることなんかないから」

「わかった」

「どうぞ、私のことはいいから行って。薫、待ってるんでしょう」

「そうか」

「そうよ、気にしないで」

「じゃあ、ごめん」

郁夫が席を立ち、居酒屋を出てゆく。

何をどう言おうと、やっぱり私は薫に負けたのだ。

乃梨子は唇を嚙《か》み、それから化粧も構わず、おしぼりで顔を覆った。

† 薫

結婚は免罪符だ。

郁夫と婚約してから、薫はそれをよく感じるようになった。

今まで自分を煩《わずら》わせていたさまざまな事柄が、こんなにもあっさりと解消されるなんて思ってもみなかった。

たとえば、田舎の両親からの「いい人はいないの、いつになったら安心させてくれるの」というプレッシャーから解放された。会社では、実際には口にしないが内心思っているに違いない、上司の「今に貰い手がなくなるぞ」、同僚の「女を捨ててるんじゃないか」、後輩の「今時、仕事一筋もダサいわよね」も、すうっと潮がひくように感じられなくなった。友人たちの「今はいいけど老後ひとりは寂しくない?」や「年をとってからの育児は大変よ」も、今は祝福に変わっている。

ひとり暮らしを始めてほぼ十年。その間には、下着泥棒や無言電話に悩まされた時もあった。しつこい新聞勧誘や、ひとり暮らしの女性を狙う悪質な犯罪に怯《おび》えたこともある。隣りの部屋には空き巣が入った。真夜中、ベランダで物音がしたような気がして飛び起きたこともある。近付いてくる消防車のサイレン、真夜中の地震。そんな不安も結婚すれば解消できる。手を伸ばせば、郁夫がそばにいてくれる。

薫はとても気持ちが安定していた。

今まで、何人かの男たちと付き合ってきた。もちろんそのことを後悔してはいないが、先の見えない恋愛は楽しさや自由があっても、どこか心許《こころもと》なく思えていた。結婚だけが、恋愛の行く末でないことぐらいはわかっている。それでも、その可能性を孕《はら》んでいるからこそ、芯《しん》から心を許せるのだと思う。時には、この人と今を一緒に過ごせればそれでいい、などと刹那《せつな》的な思いで付き合ったこともあるが、それは決して割り切っていたわけではなく、相手に過大な期待を持ってはいけないと自制してきたからだ。

以前、付き合っていた男とテレビを観ていたら、結婚式のコマーシャルが流れて来たことがあった。どんな顔をしていいかわからず、男がどんな顔をしているか見ることもできず、そんなつまらないことに気を遣っている自分が情けなかった。何のこだわりもなく、未来を語れるというのは何て幸福なことだろう。式はどうする？　新婚旅行はどこに行く？　子供はふたりがいいわね。年をとったら、ふたりで海の見える小さな家に住みたいわ。そんな会話を、当たり前にできる幸せ。

「結婚のお祝い、何がいいですか？」

後輩の女性社員が薫のデスクにやって来た。

「あら、いいのよ、そんなの」

薫は鷹揚に笑って答えた。

「課から出るお祝い金とは別に、女性社員の有志で何か記念になるものを贈りたいんです。でも、重なっても困るでしょう。やっぱり伊田さんの希望を聞いてからにしようと思って」

「ありがとう、嬉しいわ」

「でも」

と、彼女は周りに社員がいないことを確認して、隣りの席に腰を下ろした。

「どうして仕事を辞めちゃうんですか。せっかくのキャリアなのに、もったいない」

「彼といろいろ話し合った結果だから」

「そりゃあ笹原さんはエリートだけど」

エリートと聞いて、薫はひどく嬉《うれ》しくなってしまう。自分のことではないのに、自分のことのように喜べるというのもまた何て幸福なのだろう。

「そんなことないわ。でも、私は彼のサポート役に徹することに決めたの。仕事でキャリアを積むより、そっちの方が向いているとわかったから」

「自分の収入がなくなるわけじゃないですか。経済力を持たないっていうの、私にはちょっと不安だなあ」

「大丈夫、私はしっかり財布を握るつもりだから」

自分のデスクに戻ってゆく彼女の後ろ姿を眺めながら、薫は収入と引き替えるものについて考えた。

確かに給料は悪くない。同じ年齢の女性に較べたらかなり恵まれている。けれど、ただ恵まれているわけではない。仕事はハードで、残業や出張はしょっちゅうだ。就職してから、マンションには寝に帰るようなものだった。週末はたまった洗濯と部屋の掃除に明け暮れる。それだっていつも休みが取れるわけではなく、出張と重なることもある。家の中はいつも雑然としていた。やりたいことや、やらなければならないことが毎日積み重なってゆくばかりで、だんだん考えるのも面倒になってしまう。冬から出しっぱなしの温風ヒーター、カビ取りがしたいと思いながらそのままになっている風呂場。しまいには部屋に帰るのもいやになる。仕事は充実していても、他に楽しみはほとんどない。何か習いごとをしたくても、時間もないし、それなら眠っていたいと思ってしまう。

今の仕事を続ける限り、こんな生活が延々と繰り返されるのかと思うと、それだけで疲れ果てた。もう、ごめんだ。たとえ高い給料と引き替えにしても、もっと自分らしい、自分に似合いの、自分のための生活をしたい。

その点、乃梨子は強い、と、離れたデスクで必死の形相でパソコンのキーを叩《たた》いている姿を見ながら薫は呟《つぶや》いた。

乃梨子は仕事ができる。それは誰もが認めている。凄いことだとも思う。けれど、仕事ができるということは、人生にとってそんなに大切なことだろうか。

結婚が決まったから言うわけではないが、仕事に生きる女というのはどこか悲壮な感じがする。そろそろ疲れが目の下のクマや、肌のくすみとなって現れる年代になってきた。これが五年後十年後にはいったいどうなっているだろう。

奥の席に座っている四十代半ばの先輩女性は、センスのいいスーツとエルメスのバーキンを持つような典型的なキャリアウーマンだが、去年、婦人科系を患った。最近、ぐっと老け込んだように思う。美人だけれど、表情もきつい。

誰もが思っているはずだ。仕事はできてもああはなりたくない。乃梨子はどう思っているのだろう。あんな先輩を見て、自分の将来と重ね合わすことはないのだろうか……。

それから三ヵ月後、薫は華やかに寿退社をした。

送別会は、青山のイタリアンレストランで、課員のほとんどが出席して行なわれた。郁夫とふたり、正面に並ばされ、結婚式のように冷やかされ、祝福された。

祝い金と、女性社員からは頼んだ通りのバカラのシャンパングラス、それから両手で抱えきれないほどの花束を贈られた。最後にマイクを向けられ、薫は手にした。

「みなさんの、温かいお気持ちは一生忘れません。必ず幸せになります」

最後は涙で声が震えた。郁夫の腕が肩に回り、薫をしっかりと抱き締めた。

「みなさん、心配しないでください。俺が彼女を必ず幸せにしますから」

あとは涙が溢《あふ》れるばかりだった。

「でも、もう教会に予約をしたし」

「それはわかってるんだけど、おふくろがどうしても神前でやりたいって言うんだ。キャンセル、まだ間に合うだろう」

電話の声には少しノイズが入っている。薫は黙った。今夜、郁夫は大阪に出張だった。忙しい郁夫はあまり時間がない。煩わせては悪いと、ひとりでいくつもの教会を見て回り、ようやく決めたばかりだった。もちろん、郁夫もそこでいいと言ってくれていた。

「前にお会いした時、お義母《かあ》さん、あなたたちの好きにしなさいっておっしゃってたでしょう」

「そうなんだけど、和装がないっていうのはやっぱり寂しいって言うんだよ」

「私は、披露宴もずっとウェディングドレスだけで通すつもりだったのよ。変にお色直しなんかしたら時間ばかり取られるから」

「いいじゃないか、何度でもすれば」

 こともなげに郁夫は言った。薫は受話器を握り締めた。まさかと思うが、郁夫は母親の肩を持つような男だったのだろうか。

「でも、私はやっぱり……」

「なあ、薫。君が式を自分の思いどおりにしたいのはわかる。でも本当にそれでいいのかな。式っていうのは、祝ってくれるすべての人のためにするんじゃないのかな。おふくろの願いを聞き入れたくないと言うなら、別にそれでもいいさ。俺は構わない。けれど、一生付き合ってゆく相手と、そんな些細《ささい》なことで気まずさを引き摺《ず》ってゆくのもいやだろう」

「そりゃあ」

「だったら、いいじゃないか。俺も薫の白無垢《しろむく》姿見たいしさ。きっと似合うと思うな」

最後はうまく丸め込まれたように「わかったわ」と答えていた。

電話を切って、しばらくぼんやりした。

郁夫は次男だ。両親は都下の住宅地に住んでいる。長男夫婦は今は転勤を繰り返しているが、いずれは二世帯住宅に建て替えて同居する予定になっている。薫たちは、結婚と同時に社が借り上げてくれたマンションに入居する。両親の家からは一時間以上かかり、あまり顔を合わせないで済むという点は気が楽だった。

けれども、まったく干渉されないというわけにはいかないだろう。それはある程度覚悟していたことでもあった。だから式場のことは受け入れようと思う。が、それ以上はいやだ。自分たちのやり方を通す。まさか、新婚旅行先や部屋のインテリアなどにまで口を出すようなことはないと思うのだが……。

しかし、予感は的中した。

新婚旅行に、義父母も同行したいと言い出したのだ。郁夫の実家に、食事に招かれた時だった。ワインですっかりいい気分になった義父母は、いとも簡単に「私たちも一緒に行こうと思うのよ」と口にした。

「あら、でも気にしないで。あっちでは完全に別行動のつもりだから。新婚さんのお邪魔はしないわ。ハワイは何度も行ったけど、マウイは初めてなの。楽しみだわ」

薫は強ばる笑顔で郁夫を見た。断ってくれるもの、と思っていた。けれども、郁夫の口から出た言葉は意外なものだった。

「好きにすればいいさ」

その帰り、薫は完全に腹を立てていた。どうして私と相談もせずにそんな大事なことをたやすく受け入れてしまうのか、郁夫の神経が理解できなかった。式は譲歩した。だからこそ、それは断って欲しい。

「だって、別行動するわけだろう」

「そんなこと、できるわけがないじゃないの。きっと何のかんのって、お世話しなくちゃいけなくなるわ」

「いいんだよ、無視しておけば」

「悪いけど、お断りして」

「だったら、自分で言えよ」

突き放したように郁夫は言った。

「あなたのご両親よ、あなたから言って」

「結婚したら、君の両親でもあるだろう」

薫は郁夫を眺めた。会社では「この人に任せておけばすべて大丈夫」と思わせる、信頼感があった。そこに強く惹かれた。けれど、ここはもう会社じゃない。生活だ。

「何か違うと思う」と、薫は言った。

「え？」

「私、結婚について、少し、考えたい」

郁夫の表情がわずかに曇った。

「考えるって何をさ」

「だから結婚よ、私たちの結婚そのもの」

「どうして」

「だって、そうでしょう。私たち、結婚についてどこか考え方が違うと思うの」

「違って当たり前だろう、違う人間なんだから」

「譲歩するのは私ばっかり」

「でも、マウイに行きたいと言ったのは君だろう」

「そういうこととは違うわ」

郁夫は不機嫌に顔をそむけた。

「じゃあ、勝手にしろよ」

売り言葉に買い言葉で返していた。

「ええ、するわ」

言ってから踵《きびす》を返し、やみくもに夜道を歩いた。すっかり頭には血が上っていた。

もし、この結婚をやめるとしたらどうなるだろう、と薫は考える。

もう退職してしまって仕事はない。まずは再就職先を探さなければならない。引っ越すっもりで今のマンションは解約を申し出ている。次の部屋が必要だ。祝福をくれたたくさんの人への言い訳は？　買った家具や電化製品の返品は？　式場や旅行のキャンセルは？　何より、あんなに喜んでくれている仙台の両親には何て言えばいいだろう。郁夫が挨拶《あいさつ》に来てくれた時「あんたにはもったいないくらいの人だ」と、涙ぐんでさえいた。

今更、結婚を取りやめるなんてできるわけがなかった。もう、すべては動きだしてしまったのだ。

熱く膨らんだ頭が少しずつ冷静さを取り戻してきた。すると、もしかしたら郁夫の言っていることもそう間違ってはいないのかもしれない、と思えてきた。

考えてみれば、これから一生、ふたりで生きてゆくのだ。新婚旅行の一週間ぐらい、義父母が一緒でもどうってことないではないか。少しキリキリし過ぎたかもしれない。

もしかしたら、これがマリッジブルーというものなのだろうか。

さっきは興奮して、思わずきつい言葉を口走ってしまったが、もし郁夫が腹を立て、本気で破談を言って来たらどうしよう。

考え始めると、急に不安になってきた。とにかく郁夫に電話しよう、謝まらなくては。そんなことを思いながらマンションの前に来て、薫は思わず足を止めた。玄関に郁夫がぽつんと立っていた。

郁夫は薫の姿を認めると、まっすぐに近付いて来た。それから、切羽詰まった眼差しを向け、薫を抱き締めた。

「さっきはごめん、俺が悪かった。両親には来るなって言うよ。だから、結婚を考え直すなんて言わないでくれ」

その言葉を聞いたとたん、安堵《あんど》で胸がいっぱいになった。愛されていることを実感した。

「私こそごめんなさい。いいのよ、私の両親になっていただくんだもの、一緒に行きましょう」

それで決まりだった。


「薫、おめでとう。とても綺麗よ。白無垢っていうのは意外だったけど、よく似合ってる。ほんとうに幸せそう……」

乃梨子がうっすらと目に涙をためて、祝福の言葉をくれた。

「ありがとう」

それに笑顔で薫は応える。

結局、旅行は両親と一緒に行くことになった。ホテルも一緒だ。ついでに言えば、クルーズもディナーも一緒だ。予想どおり別行動なんてできるはずがなかった。

みんな小さなことだ。そんなことにこだわるから、面倒な気持ちになる。どうってことない。関係ない。飛行機の席まで前後であっても、気にしない。私は愛する人と結婚できるのだから。

薫は、テーブルに着いた乃梨子を眺めた。

今日のために新調したのだろう。艶《つや》のあるダークブルーのノースリーブドレス。シンプルなAラインがよく似合っている。

あの時、乃梨子に勝ったと思った。郁夫から「結婚しよう」と言われた時だ。

乃梨子が郁夫に好意を持っていたのは知っていた。だからこそ、どうしても渡せなかった。

けれど今、こうして金屏風《きんびょうぶ》の前に座ってにこにこ笑っていながら、どこかで自分が想像していたのとは違う人生に足を踏み入れてしまったように思えた。

これでいいのだろうか。

私は本当に乃梨子に勝ったのだろうか。

そんな漠然とした不安にかられ、ふと、薫は小さく息をついた。

age.30

†乃梨子

今日、乃梨子は主任の辞令を受けた。

みんなの前では冷静に振る舞っていたが、こっそり屋上に上がり煙草を一本吸うと、安堵と余裕の笑みが自然とこぼれた。

女性社員の中では異例の早さだった。乃梨子自身、その座を手に入れるまでにあと二、三年はかかるだろうと踏んでいた。

仕事を続けていて本当によかった。

嬉しさが溢れるように込み上げた。

もちろん、つらいことはあった。仕事はハードになる一方だし、マンションと職場の往復だけの毎日に疲れ果て、自分の人生はこれで本当によいのだろうか、もっと違う生き方があるのではないかと、心を乱されたこともある。正直なところ、会社を辞めようと、真剣に考えたことも一度や二度ではない。

それでも、途中で投げ出さず、与えられた仕事は地道にこなしてきた。逡巡《しゅんじゅん》しながらも、自分を何とか励まし、頑張ってきた。

その結果、実績が認められ主任へと抜擢《ばってき》されたのである。これで六人の部下を自由に動かせる立場になった。

こうなってみてよくわかる。仕事は裏切らないというのは本当だ。やっただけのことは、ちゃんとそれなりの見返りがある。辞めなくてよかった、続けていてよかった。やっぱり自分には仕事がいちばんお似合いなのだ。


デスクで電話が鳴り、乃梨子は手を伸ばした。

「はい、東都エージェンシーでございます」

「恐れ入ります、笹原おりますでしょうか」

その声にすぐに気づいた。

「あら、薫？」

一瞬、戸惑ったような沈黙があった。

「乃梨子？」

「そう。久しぶり、元気にしてた？」

「ええ、もちろんよ。乃梨子はどう？」

薫のちょっと甘ったるい声はあの頃と少しも変わらない。

「私は相変わらず仕事三昧《ざんまい》」

「確か新婚旅行から帰って一緒に食事したのが最後よね、あれからもう三年近くよ」

「やだ、もうそんなになるのね。最近、時間があっと言う間に過ぎちゃって。年かしら」

「そうそう、郁夫から聞いたわ、主任に昇進したんですってね。おめでとう」

乃梨子は余裕を持って答えた。

「ありがとう。でも、私が主任なんて、笑っちゃうでしょう」

「ううん、乃梨子なら当然よ。仕事はできるし、まじめだし」

本音なのか、皮肉なのか、ちょっと判断できない。

「それしか能がないってことよ。薫はいい奥さんしてるみたいね。笹原さんも課長に出世だもの。さすが内助の功」

「まあ、それなりに楽しくやってるわ」

謙遜《けんそん》なのか、強がりなのか、どちらとも取れない。

「また今度、ごはんでも食べましょうよ」

「いいわね、私の方はいつでもＯＫよ」

「じゃあ、改めて連絡するわ。あら、ごめんなさい、ダンナ様よね。今、回すから、ちょっと待ってね」

乃梨子は保留ボタンを押し、郁夫のデスクに電話を回した。それから、オフィスの奥の課長席に目をやって、声をかけた。

「三番、お電話です」

「おっ、サンキュ」

郁夫が受話器を耳に当て、さりげなく椅子を回して背を向けた。

乃梨子は再び仕事に戻った。

もし郁夫と結婚していたらどうだっただろう、と、ふと想像した。

郁夫は予想どおり、着実に出世している。今では課長だ。同期でも一番乗りだった。その自信が貫禄につながり、ますます郁夫は男っぷりを上げている。そのことに薫も大いに満足しているだろう。

三年前、薫から彼と結婚すると聞かされた時のことを思い出す。

あの時、足元が崩れてゆくような喪失感を味わった。郁夫が好きだった。彼となら一生を共に生きてゆけるかもしれないと思っていた。

結婚式の幸せに満ちた薫の顔。それは乃梨子に対する優越の顔であり、勝利の笑みのようにも見えた。

私は薫に負けたんだ。

うなだれながら、それを深く噛み締めるしかなかった。

けれど、今はこれでよかったのだと思っている。あれから郁夫とは、いっそう信頼関係を深めるようになった。今回、乃梨子が主任に抜擢されたのも、郁夫の後押しがあってこそだということはわかっている。仕事上でのパートナーとして、郁夫は最高だ。人生のパートナーになっていたら、こうはいかなかったかもしれない。

その日、たまたま郁夫と帰りが一緒になり、いつもよく行く、会社近くの居酒屋に寄ることにした。

「薫と久しぶりに話したわ」

ふたりとも、焼酎《しょうちゅう》のお湯割りを注文した。つまみは焼き鳥と冷奴ときんぴらごぼうだ。

「今度、飯を食う約束をしたんだって？」

「いけなかった？」

乃梨子は顔を向けた。

「ぜんぜん、お好きにどうぞだよ」

郁夫がお湯割りを口に運ぶ。

「あら、その言い方、ちょっと引っ掛かるな」

「毎度のことだからさ」

「薫、よく出掛けてるの？」

「ほら、うちは子供がないだろう。あいつ、毎日ヒマを持て余してるから、カルチャーセンターやスポーツクラブに通いまくってるんだ。昼は仲のいい主婦仲間と豪勢なランチ。夜は夜で、カラオケとか飲み会とか遊び回って、まったくいいご身分だよ」

　乃梨子は短く息を吐《つ》いた。

「それは仕方ないわよ、夫の帰りが毎晩午前様じゃ待っててもしょうがないだろうし、夕食もほとんど家で食べないんでしょう。ひとりで食べてもつまんないもの。その上、夫がいい匂いなんかぷんぷんさせて来るんじゃね」

　郁夫が少し慌てている。

「え、何だよ、それ」

　乃梨子は上目遣いで郁夫を見た。

「噂になってるわよ、人事課の女の子とのこと」

「おっと」

　郁夫がグラスを口に運んだ。

「呆れたわ、まだ結婚して三年だっていうのに」

　そうなのだ、とんでもないことに、郁夫は今、人事の二十四歳の女の子と浮気をしている。

「うーん」

「まあ、あなたのことだから、面倒なことにはならないだろうけど」

「何て言うのかなぁ」

　郁夫はぼんやりと天井を見上げた。

「俺、独身の頃はそういうのにぜんぜん興味がなかったんだ。遊びで女の子と付き合うなんてとてもとてもって感じだった。そんなことにエネルギーを費やすくらいなら、仕事に打ち込みたいって思ってた。でもさ、ある程度仕事にゆとりが持てるようになったら、気持ちが楽になったっていうか、女の子と楽しむよさがようやくわかってきたんだよね」

「結婚が免罪符になったっていうのもあるんじゃないの？　相手は最初からあなたが結婚してることはわかってるわけだから、そう無茶は言わないだろうし」

「うん、正直なところ、それもある」

それから、カウンターに肘をつき、郁夫はめずらしく愚痴めいたことを口にした。

「最近さ、家に帰ってもあいつ、不満ばっかりなんだ。この間なんか『どうして私ばかりが犠牲にならなきゃいけないの』なんて言われたんだぜ。結婚する前、あいつの方が俺のサポート役に徹したいって言ったんだ。俺が快適に仕事ができるよう家庭は自分が守るって。専業主婦に納まるのも、あいつが望んだんだ。なのにそれだよ。今更そんなこと言われても、俺だって困るんだよな」

乃梨子は小さくため息をついた。電話ではあんなに幸せそうにしていたのに、内情はこういうことらしい。

結婚なんて、結局、行き着く先はみんな同じなのかもしれない。誰もがその時は「自分たちは違う、特別な未来が待っている」と思っても、日常に容赦なく崩されてゆく。そうして

「こんなはずじゃなかった」を、まるで呪文《じゅもん》のように繰り返すことになる。

「ねえ、子供はつくらないの？」

この手の質問を、安易に口にしてはいけないことはわかっているが、郁夫になら許されるように思えた。

「いや、欲しいと思ってるよ。でも、これぱっかりはどうしようもないからね。親からもうるさく言われてるんだけど、何か、できないんだよな。まあ、最近、できるようなことをしていないっていうのもあるんだけどさ」

「ふうん」

それから、郁夫は質問の矛先を乃梨子に向けた。

「結婚はしないのか？」

この質問はセクハラに該当するが、お互い様だから許してあげよう。

乃梨子もまたお湯割りのグラスを手にした。

「結婚かぁ……」

「何だよ、その気の抜けた言い方」

「二十代の頃に一度すごくしたいと思ったことがあるわ」

「へえ」

「好きな人がいたの」

「そうなのか」

郁夫が意外そうな顔をする。もし今「それはあなたのことよ」と言ったら、郁夫はどう思うだろう。

「だったら、どうしてしなかったのさ」

「私が好きでも、あっちが私を好きではなかったから」

「なるほど、それじゃしょうがないよな」

郁夫はあっさり言い、冷奴を口に運んでいる。

それを横目で乃梨子は眺めた。

「あの頃は、やっぱり私も何だかんだ言ったって、胸の奥底で女の幸せは結婚、みたいな幻想を抱いていたの。田舎の両親もうるさく言って来てたしね。でも、今はもうそんなことは思わない。私は仕事が好きだし、ずっと続けてゆきたいのね。それには結婚はやっぱりちょっと重荷になると思うの。きっと両立できない。だから、私は仕事を取ることに決めたの」

あの時、薫も同じセリフを言った。「きっと両立できない」、そうして答えは「だから、結婚を取ることに決めたの」だった。

「そりゃあ、君に仕事を辞められたりしたら困るから俺としては助かるけど。でも、そう決めてしまうのはちょっと寂しくないか。ずっとひとりなんていうのはさ」

「言っておくけど、しなくていいのは結婚で、恋愛じゃないわよ。恋愛は必要よ、絶対にね。

ひとりは私もいやだもの。でも、それは結婚という形にならなくてもいいってこと。つまり、私には仕事と恋愛があればそれで十分なの」

郁夫がわずかに乃梨子の顔を覗《のぞ》き込んだ。

「恋人、いるんだ」

乃梨子は肩をすくめた。

「まあね」

「おいおい、どんな男だよ」

「普通よ、ごく普通の男の人」

「流行《はや》りの年下男だったりして」

「ふふ」

「いいね、仕事と恋愛で十分か。これからそういう女の人がますます増えてゆくんだろうな」

乃梨子は笑った。

そういう女を増やしているのは、結局のところ、郁夫みたいな男たちだということにどうして気がつかないのだろう。

マンションに戻ると、ソファで渉《わたる》がうたた寝をしていた。

乃梨子は起こさぬよう注意しながら寝顔を覗き込んだ。

何て無邪気な顔をしてるのだろう。起きている時よりもっと若く見える。まるで少年のようだ。それもそのはずだった、渉は二十四歳、乃梨子より六歳も年下なのだ。

付き合い始めてから半年ほどになる。渉は会社に出入りする編集プロダクションの社員で、仕事を通じて言葉を交わすようになった。出会った頃は、まさか渉とこんなふうになるなんて考えてもいなかった。六歳も年下の男が自分に特別な感情を持つはずがないと思っていたし、乃梨子自身もそんな若い男に興味はなかった。

渉は積極的だった。それは情熱と呼んでいいと思う。毎日の電話、メール、社の前で待ち伏せされたこともある。

「あなたのことを考えたら、仕事も手につかないんだ」

と、渉は言った。そんなストレートな言葉を面と向かって言われると、どう答えていいかわからなかった。乃梨子にとっては、とても気恥ずかしくて口にはできない言葉も、渉には何でもないことなのだった。それが若さであり、そんな彼がひどく眩《まぶ》しく見えた。

恋は魔法だ。付き合い始めて、乃梨子は自分が変わったと思う。毎日が楽しく、充実している。今までついキリキリ対応していたおじさん年代の口うるささも、面倒なクライアントとの付き合いも、部下たちの自分勝手や我儘《わがまま》も、さらりと受け流すことができるようになった。

郁夫のことだってそうだ。本当の意味で、仕事上のよきパートナーになれたのは、渉という恋人ができたからだと言えるだろう。

それまでは、胸の中にどこかしこりのようなものが残っていて、時々、しくしく痛んだ。たとえば、残業でオフィスにひとり残り、冷めたコンビニ弁当を食べている自分が窓ガラスに映っているのを見た時。きっと今頃、薫と郁夫は温かな食卓を囲んで和《なご》やかな時間を過ごしているに違いない。そんな時、薫への敗北感が急に蘇《よみがえ》ってきて、乃梨子をひどく孤独にした。

想像したことがある。

もし、郁夫を誘惑したら……。

今になってみると、笑いだしたくなる埒《らち》もない考えだが、一時は、そうするしか気持ちの収まりがつかないような気がした。そうして、それがいちばんの復讐にも思えた。

けれども、そんなことも渉との出会いで払拭《ふっしょく》された。一緒に食事をし、遊びに出掛け、ベッドに入るだけで、すべてのことがどうでもよくなってしまう。

本当に渉とのベッドは最高だ。若くて体力もあり、いつも身体が溶けてしまうのではないかと思うくらいとろとろになる。そのせいかここのところずっと肌の調子がよく、最近、部下の女の子たちに「どこの化粧品を使っているんですか」とよく聞かれる。

もう、薫に負けたなんて思ってない。

それどころか、間違って郁夫と結婚するようなことにならなくて本当によかったと思う。

今の生活に、乃梨子は心から満足していた。

† 薫

三日、三ヵ月、三年。

何事においても、それが「やめたくなる」時期と聞いたことがある。

結婚して三年がたつ。三日目も三ヵ月目も、幸福に埋もれて暮らした。けれども、三年たった今、薫はどこかしら居心地の悪さのようなものを感じていた。

決して結婚を「やめたい」と思っているわけではない。毎日の生活は経済的にも恵まれ、郁夫との関係も、かつての新鮮さはなくなったが、穏やかで安定したものになっている。仕事は相変わらず遅く、土日に接待で出掛けることも多いが、それは覚悟していたことで、今更、不満を口にするつもりもない。

けれど、ひとつだけ「やめたい」ものがある。それは、嫁という立場だ。

「薫さん、まだ？」

ついさっきの電話で、姑《しゅうとめ》にまたそれを聞かれてうんざりした。まだ、とはもちろん子供のことだ。

「ええ、まあ……」

薫は曖昧《あいまい》に答える。そうしか答えようがないではないか。

「どうしてかしらね。悦子《えつこ》さんはすぐできたのに。お医者さまには行ってるの？」

悦子は兄嫁だ。兄嫁は元キャビンアテンダントで、学歴も家のレベルも薫より一段上で、姑はことあるごとに薫と比較する。たとえば、こんなふうにだ。

「母の日に、悦子さんはエルメスのスカーフだったのよ」

その時、薫がプレゼントしたのは日傘だった。

「そうそう、この間、健康雑誌で不妊症の特集をやってたから買っておいたの。今度、送ってあげるわ」

うんざりを通り越してげんなりだ。

「それから、いい漢方があるの。昔ながらの煎《せん》じ薬だから、作るのがちょっと面倒だけれど、それで授かるならそれくらいの労を惜しんじゃやね」

いい加減にして、と叫びたくなる。

「すみません。宅配便が来たみたいなので」

薫は電話を切った。もちろん口実に決まっていた。

最近はいつもこんな調子で、話を切り上げるようになっていた。姑はいつもお昼を少し過ぎた頃に電話を掛けて来るので、その時間はなるべく留守番電話にしておくのだが、あまりそうしていると、今度は「いつも遊んでばかり」と思われるので、時にはこうして電話に出るしかない。

　もちろん、薫も子供が欲しいと思っている。姑には言ってないが、半年ほど前から医者にも通い始めた。排卵にばらつきがあるけれども、不妊の大きな原因になるような症状はないと言われている。医者は夫の検査も勧めていて、それを話したこともあるのだが、郁夫はまったく取り合わなかった。

「冗談じゃない、どうして俺がそんなところに行かなきゃならないんだ」

　あの時、郁夫は露骨に眉《まゆ》をひそめた。

「お義母さんから、まだ、まだ？　って聞かれる私の身にもなってよ」

「いいんだよ、そんなの聞き流しておけば」

「でも、まるで私に欠陥があるみたいに言われるのはいやなの」

「じゃあ、俺に欠陥があると言いたいわけか」

「そうじゃなくて、子供のことは夫婦で調べるのが当たり前だって言ってるの」

「俺はごめんだね、検査なんか」

「あなたはいつもそう。自分のいやなことは、みんな私に押しつけるの。どうして私ばかりが犠牲にならなくちゃならないの」

　思わず口調が激しくなっていた。

「寝る」

郁夫は唐突に話を打ち切り、ひとりで寝室に入って行った。

他のことに関してのケンカは、大概すぐに収まるのだが、子供のこととなるといつもこんな調子だった。

薫はぼんやり考える。結婚して、妻や奥さんであることは、想像以上に快適だった。郁夫は順調に出世してくれているし、結婚二年目には三十年ローンだが世田谷に一軒家も購入した。若い時に少し齧《かじ》ったイタリア語を再び習い始め、その他のお稽古《けいこ》ごとにも精を出した。そこで知り合った境遇も年代も似たような奥さんたちと、話題の店にランチに出掛けたり、買物を楽しんだりした。時には、夜、お洒落《しゃれ》をして六本木や青山に出掛けることもある。もちろん、経済的余裕があるからこそできることで、そういう意味で郁夫には感謝している。働いていれば、一生知らずに終わった楽しみを十分に満喫させてもらっていると思っている。

けれども、それは確かに楽しいことではあるのだが、三年たった今、何かもの足りないように感じ始めていた。楽しいというより、楽しむことはもうそれしかないというような、せめてそういうことでもしていなくては追い詰められるだけ、というような。

まだ三十歳だ。産むチャンスはいくらでもある。近頃は三十五歳過ぎての初産《ういざん》というのもめずらしいことではなくなった。けれども、結婚して三年たつとなると、少し意味が違ってくる。年齢じゃない、問題は結婚年数だ。最近では、神様からの授かりものとか、コウノトリのご機嫌次第とか、そんな言葉を耳にするのさえいやになっている。

結婚した時、子供なんて当たり前にできるものと思っていた。一年ぐらいは、ふたりの生活を楽しみたくて避妊を続けた。そうして、そろそろと思い始めてから一年。更に一年が過ぎ、焦りが不安へ、不安が苦痛となっていった。

多くの女性が、あんなにたやすく子供を産んでいるのに、どうして自分にはできないのだろう。今まで、だいたいのことは人並み以上にやってきたのに、どうして子供だけは思いどおりにいかないのだろう。

そんなことを考えているうちに、だんだんと、自分が出来損ないの女であるように思えて来る。

郁夫とのセックスも、最近では、愛情表現とかスキンシップというものからはほど遠いものになっていた。もっと言えば、性欲なんてものからもだ。子供を得るための手段。夫婦としての義務。薫は基礎体温を測りながら、その日が来るのを待っている。そうして、来れば「今夜だから」と、出がけに郁夫に告げる。その夜、郁夫は大概ひどく酔って帰って来る。

子供のことなんかから解放されたい。もう、うんざりだ。子供がいなくても、幸福に暮らしている夫婦はゴマンといるではないか。子供のことさえ頭の中からはずしてしまえば、郁夫ともっと和やかに生きてゆけるのに。

ここのところ、薫は長田圭子《ながたけいこ》という年上の女性と親しく付き合っている。彼女とはスポーツクラブで知り合った。だいたい週に二回、薫はそこに通っていて、エアロバイクや筋力トレーニングで汗をかき、ゆっくりサウナに入って、シャワーで汗を流し、ラウンジで遅めのランチをとる、というのがコースになっていた。

圭子はかつてかなり名の知れた女性雑誌の編集者をしていたという。四十歳を機《しお》に仕事を辞め、今は主婦に納まっている。

以前、尋ねたことがある。

「圭子さん、どうして編集者を辞めちゃったの？　すごいキャリアじゃない。もったいないとか、思わなかった？」

圭子はこともなげに答えた。

「ぜーんぜん。それまでにやるだけのことはやったから。自分の人生を仕事だけで終わらせるつもりは最初からなかったわ」

「これから何かするの？」

「計画はいろいろあるわ。とにもかくにも楽しまなくちゃね、自分の人生なんだもの」

圭子はとても四十過ぎには見えず、いつもお洒落で生き生きしている。会話も上手《うま》く、センスのよさも人一倍で、薫はいつも、十年後にこんなふうになれたらいいな、と思っていた。それに何より、圭子といると気が休まるのだ。

それはやはり、年上ということがあるだろう。年齢が近いと、仲良く付き合っていてもつい互いに相手のことを探ってしまう。夫の職業は？　子供はいるの？　持ち家それとも賃貸？　年収はいくら？　もちろん、実際には言葉にしないが、会話の端々《はしばし》にニュアンスが漂う。でも十も年が離れると余計なことを考える必要も、張り合う必要もない。

その上、圭子は結婚しているのだが子供がなく、そのことも薫の気持ちを楽にしてくれていた。

今日もクラブで一緒になった。隣り同士でエアロバイクを使いながら、薫はつい、姑からの子供の催促にうんざりしていることを愚痴った。

「もう、勘弁してって感じなの。ノイローゼになりそう」

圭子は笑ってこう言った。

「言わせとけばいいのよ。誰の人生でもなく、自分の人生なのよ。姑であろうがそこまで立ち入る権利はないんだから。それに、どうせお姑さんなんて先にあの世に行っちゃうんだから、無視するのがいちばん」

「ねえ、圭子さん、子供は？」

「全然、興味なしって感じかな。私の人生は私のためだけに使おうって決めてるから」

圭子が言うと説得力があった。その上、あっけらかんとしていて、気持ちがいいくらいだ。

「実はね、私の昔の同僚が、この間、主任に昇格したの。ちょっと電話で話したんだけど、結婚なんか全然興味がなくて、ちょっと落ち込んじゃったわ」

圭子は動じもしない。

「世の中の仕事をしている女は、自分では仕事がデキると思ってるみたいだけど、多くはただ仕事にしがみついてるだけなのよ。勘違い女がどれほど多いか。結果なんて三十やそこらでわかるわけがないわ」

「その上、年下の恋人もいるんですって」

「ふうん、年下ね。ま、もって三年ってところね。私が知ってる限り、ほぼ九十パーセント、それくらいで若い女に乗り換えられてるわ。見ててごらんなさいって」

こんな調子なので、ますます気持ちが楽になった。

だから、スポーツクラブから帰った日は、郁夫にとても優しくなれる。

今夜、めずらしく午前様の郁夫を玄関で出迎えた。通りでタクシーが止まる音が聞こえて、階段を下りて行くと、ドアを開けた郁夫は薫を見てちょっとびっくりしたみたいだった。

「おかえりなさい」

「どうした、何かあったのか」

「たまにはちゃんとお出迎えをしようかなと思ったの。いつもお疲れさま。何か食べる？」

「いいや、いらない。無理しなくても寝てればいいのに」

あっさり言われて、何だか肩透かしを食らわされてしまったみたいな気になる。そんな薫

てどう？　私も食べたい」

「あのね、今日、お隣りさんからとってもおいしい野沢菜漬けをもらったの。お茶漬けなん

こういう優しいところが郁夫にはある。

「いや、じゃあちょっと食べようかな。軽いものでいいよ」

の落胆を、郁夫はすぐに察したらしい。

「うん、じゃ、そうしよう」

真夜中、ふたりで食卓を挟んでお茶漬けをすするのも悪くなかった。

その夜、郁夫のベッドに行った。郁夫が「来いよ」と言ったのだ。排卵日には少し早かったが、そういうこととは関係なくするセックスは久しぶりで、薫は満ち足りた気分になった。郁夫も同じ気持ちだったに違いない。夫婦はやっぱり、裸で抱き合わなければだめだと思う。互いの肌の感触や匂いを忘れてしまったらおしまいだ。

翌朝、気分よく郁夫を送り出し、いつものように薫は朝食の後片付けをし、洗濯をし、掃除をした。それから、郁夫のスーツをクリーニングに出そうと、クローゼットから取り出した。ポケットの中に、郁夫はよく小銭やレシートを入れっぱなしにしている。それらが残ってないか確認していると、一枚の領収書が出てきた。

「これ……」

銀座のブランドショップのものだった。それも若い女の子に人気のブランドだ。品名の欄

にハンドバッグ七万八千円という数字が打たれていた。

接待に使ったのだろうか？　それとも誰かに頼まれたとか？　プレゼント？　こんな若い子の好きなブランドのバッグをいったい誰に？

薫はそれを手にしたまま、しばらく眺め続けた。


それから三週間近くがたとうとしていた。

領収書の件については、直接、郁夫に聞くのがいちばんとわかっていながら、時間だけが過ぎて行った。どこか不安な思いが揺れていた。聞いて、果たして郁夫は本当のことを話すだろうか。誤魔化されたら？　開き直られたら？　波風をたてるようなことはせず、見なかったことにしてしまった方が賢明なのではないだろうか。

とにかく圭子に相談してみようと考えていた。彼女なら、きっといつものように明快な答えで、薫を納得させてくれるに違いない。なのに、圭子はこのところ、クラブにさっぱり姿を現さない。

今日も期待して来たのに会うことができず、思わず、顔馴《な》染《じ》みのインストラクターを呼び止めた。

「長田さん、最近、見えてないみたいだけど」

すると、インストラクターは健康そうな頬をくしゃりと崩した。

「そうなんですよ」

「何かあったのかしら」

「それが、おめでたなんだそうです」

一瞬、言葉が出なかった。

「でも長田さん、もう四十は過ぎてるんじゃ」

「ええ、四十二歳と聞いてます」

「なのに、そんな、子供だなんて……」

「何が何でも妊娠するって、その決心で会社も辞めたぐらいですからね。念願叶《かな》ってってわけです」

その日、薫は早々にクラブを引き上げ、家に戻った。焦点の定まらない、ぼんやりした気分だった。

別に、圭子から子供は持たないと宣言されていたわけではない。でも、興味はないと言っていたではないか。自分の人生は自分のためだけに使うと。

裏切られたような気分になっていた。

あんなに調子のいいことを言っておいて、自分だって子供が欲しくてたまらなかったのだ。必死になって妊娠するために力を尽くしていたのだ。

薫は居間のソファに座ったまま、じっとしていた。焦点の定まらなかった頭の中が、ようやくひとつの形に固まりつつあった。

いいや、欲しくて当たり前なのだ。結婚すればそうなるものなのだ。もし、子供がいれば、郁夫も変わるかもしれない。思いが家庭以外に散るようなことはないかもしれない。

やがて、薫はソファから立ち上がり、電話に手を伸ばした。受話器を上げて、番号を押す。

「あ、もしもし、お義母さんですか。私、薫です。この間、お義母さんが言ってらした不妊治療の特集号と漢方薬ですけど、すぐに送っていただけませんか。ええ、すぐに」

窓の外は、すっかり薄墨色に塗り込められていた。

† 乃梨子

もともとチラシを見るのは大好きだが、特に週末、乃梨子は新聞より分厚いそれをたっぷり時間をかけて一枚ずつめくってゆく。マーケットの特売に、エステや美容院の新規開店、新車発表もいいけれど、やはり目が止まるのは不動産だ。

さすがに一軒家は対象にならないが、大きな公園近くの低層マンション、夜景が売りの高層マンション、お洒落で個性的なデザイナーズマンション、新築もあれば中古もある。頭金〇〇円ＯＫとか、月々家賃並みの返済とか、うたい文句も魅力的でつい心惹かれてしまう。

買おうかな……と考える。

主任に昇格して給料もいくらか上がった。少しは貯蓄もある。今の賃貸マンションもそう悪くはないが、1LDKで手狭だし、所詮は借り物で愛着が湧《わ》かない。それなりにインテリアに凝ってみてもどこか張り合いがない。

そう、張り合いだと、乃梨子は思う。

仕事は楽しいし、働くことも大好きだが、それとは別にプラス何かがあってこそ、意欲というものも倍増するのだと思う。

独身女性がマンションを買うと聞くと、周りはすぐに「とうとう結婚を諦《あきら》めたか」と思うようだが、それは早計というものだ。別に諦めたわけではない。というより「諦めた」という言葉そのものが当てはまっていない。そこには、結婚したいけれどできない、というニュアンスが含まれている。しかしそうではなく、してもしなくてもいい、という選択の段階、もしくは、しようがしまいがそんなことは関係ない、という個人の意思の問題なのだ。

「やっぱり2LDKで、六十平米くらいは欲しいわよね」

思わず口から出ていた。

「あれ、マンション買うの?」

ようやく起きだしてきた渉が、まだ寝惚け口調で背後から覗き込んだ。

「言ってみただけよ。おはよう、コーヒー入ってるわ」

「うん、サンキュ」

Tシャツとトランクス姿で、渉がキッチンに入ってゆく。

渉はどう思っただろう。

乃梨子はチラシを畳みながら考えた。

渉との関係は今のところ快適だ。これが永遠に続くとは思っていないが、そう簡単に壊れてしまうとも思えない。渉は私に惚れている。私も渉に惚れている。まだ若く、給料も少なくて、金銭的なものは乃梨子が負担することがほとんどだが、それは当然だと思っている。

「もし買うのなら、犬の飼えるところがいいなぁ」

渉がマグカップを手に戻って来た。

「俺、柴犬を飼うのが夢だったんだ」

目の前に座る渉に、乃梨子はちらりと目を向けた。

まったく何て気楽な発言だろう。もちろんマンションは乃梨子のもので、お金を出すのも当然、乃梨子だ。渉には関係ない。だいたい出せるようなお金などあるはずがない。なのに自分のもののような言い方をしている。

ただ、少し驚いたのは、柴犬を飼いたいなどと、渉がふたりの将来につながるような話を口にしたということだった。

渉と結婚……まさか、こんな経済力もない年下男と？

そんなことをしたら、厄介な荷物をひとつ背負うのと同じだ。

そう思う半面、渉となら楽しい毎日を過ごしてゆけそうな気がした。仕事から帰って来た時、もし渉の明るい笑顔と、可愛い柴犬が待っていてくれてたら、きっと疲れもふっ飛ぶに違いない。

想像して、それも悪くないと思った。それもひとつの張り合いになってくれるかもしれない。

そう考えてから、思わず苦笑した。

これってまるで男の発想ではないか。

主任に抜擢されてから、乃梨子は初めて「人を使う」ことの難しさを知った。

男性社員はまだ女の上司に慣れてなくて、自尊心が反発という形で表れたり、女性社員は頑張るあまりにスタンドプレーに走る。けれども、それらは確かに厄介なことではあるけれど、それぞれ仕事に対して真剣な思いがあるからこそであり、乗り越えられない面倒というわけではないと思っている。

ただ、ひとりだけ、どう対処してよいものか途方に暮れる相手がいた。

佐伯美奈子《さえきみなこ》という二十四歳の女の子だ。

今時、めずらしいくらい仕事にやる気のない子で、日中デスクにいないことはしょっちゅう、たまに座っていれば私的なメールや電話に夢中になっていて、与えられた仕事は誰かの助けを借りなければやり遂げることができず、デスクで一時間に一度は鏡を覗き込み、独身男たちに愛嬌を振り撒《ま》き、五時になったら残業も接待もおかまいなしにさっさと帰る。

そんな彼女は当然どこの部署でも使いものにならず、しょっちゅう異動させられていた。引き受けさせられた乃梨子もうんざりだった。先日も、セクシー過ぎる服装を少し注意をするとその場で泣きだし、その上、二日間も有給休暇をとった。まったく頭の痛い存在だった。

あと少しの我慢……、もう何ヵ月かすれば、また異動になるだろうから、こんな女を使うのもそれまでの辛抱だ。

それからふた月ほどが過ぎた。

最近、週末になると渉に仕事が入り、乃梨子は土日をひとりで過ごすことが続いていた。退屈しのぎに、マーケット帰りにぶらぶら近所を散歩していると、たまたま新築中のマンションが売り出されているのにぶつかった。時間もあり、ひやかしのつもりでモデルルームを覗いてみた。すると思いがけず、間取りといい価格といい、乃梨子の思い描いていた条件にぴたりと当てはまった。おまけにペット可ときている。

その時はパンフレットだけをもらい、自宅に戻ったのだが、考えれば考えるほど、悪くはないと思えてきた。もちろん簡単に決められるようなことではない。もし買うとなれば、今までの預金を全部注《つ》ぎ込み、ローンも背負わなくてはならない。一世一代の買物だ。

誰に相談していいかわからず、思い切って田舎の母に電話してみた。

「え、マンション買うの」

予想どおり、母は電話の向こうで戸惑った声を出した。母はこう思っているのだろう。

(自分のマンションなんか持ったら、もうお嫁に行けなくなるんじゃないの)

母は〝世間〟の典型のような人だ。けれど、そんな母からそう思われることはある意味ではほっとする気持ちもあった。欲しい、との思いは嘘ではないが、まだ性根が据わったほどではなく、そう言われれば「まあ、もう少し待ってみようか」という気にもなる。

「ううん、言ってみただけ。あんまり深く考えないで」

ところが、母はこんなことを言い出した。

「いいかもしれないわね」

「えっ」

意外な言葉に驚いた。

「実はね、伸夫《のぶお》の結婚が決まりそうなのよ」

伸夫というのは、三歳下の弟だ。地元の信用金庫に勤めている。

「あら」

「それでね、相手の娘さんが同居してもいいって言ってくれるものだから、この際うちを二世帯住宅に建て直そうって話が出てるのよ」

乃梨子は黙った。知らない間に、田舎ではいろんなことが起きているらしい。

「でね、ちょうどお父さんとも話してたんだけど、そうなったら乃梨子にもしてやることをしてやらないとねって。できたら、それはあんたのお嫁入りの支度金にしたかったんだけど、もし、マンションを買うつもりでいるなら、頭金ぐらいは何とかしてあげられると思うのよ」

何と答えていいかわからなかった。

「そうよね、あんたもマンションのひとつぐらい持ってなきゃね」

電話を切って、乃梨子はしばらくぼんやりした。

正直言って、少しも嬉しくなかった。まるで親から手切金の話をされたような気がした。弟が結婚し、二世帯住宅になれば、実家は「ただいま」と言って帰るのではなく「こんにちは」と言って訪ねる場所になってしまう。想像しただけでうら寂しいような気持ちになった。けれど、マンションを買わなくたって、弟は結婚するだろうし、家は二世帯住宅に建て替えられるだろう。

もしかしたら、これはチャンスなのかもしれない……そんな思いが頭をかすめた。

考えてみれば、嫁入りの支度金よりかはずっと現実的で有効な使い途《みち》ではないか。結婚するしないは別にして、決心なんて、どこかでつけなければすべてのことは先送りになるだけだ。これもひとつのきっかけと言えるのかもしれない。

翌日、乃梨子はもう一度、モデルルームを訪ねてみた。応対の営業マンは、乃梨子のことを覚えていてひどく愛想がいい。欲しいと思っていた部屋には、まだ売約済みの赤い花はついてない。

「実は、この部屋は今、商談中の方がふた組いらっしゃるんですよ」

と、営業マンはうまく気持ちを煽《あお》るようなことを言う。

どうしよう。

それでも、まだ簡単には決められず、その夜、渉に電話を入れた。

渉に相談してもどうしようもないことはわかっているが、それでも賛成の言葉を聞くこと

ができれば、もう一歩、気持ちが前に進みそうな気がした。

「ねえ、どう思う？」

尋ねると、受話器を通して渉のあっけらかんとした声が返ってきた。

「いいんじゃないのかなぁ」

「本当にそう思う？」

「うん、思うよ。乃梨子ぐらい仕事のできる人なら、そんなマンションのローンなんて、す

ぐに返せるだろうしさ」

急に気分が軽くなった。新しい部屋で、自分と渉と柴犬とが寛《くつろ》ぐ様子が目に浮かんだ。

そうすると、どうして迷うようなことなどあったのだろうという気分になった。

「ねえ、じゃあ明日にでも一緒に見に行かない？　渉もきっと気に入るわ、ペットも飼える

のよ」

「うーん、俺はよしておくよ」

さらりと言われて、拍子抜けした。

「どうして」

「だって、乃梨子のマンションなんだし」

瞬間、いやな予感が乃梨子の身体を包んだ。

「それはそうだけど、柴犬飼いたいんじゃなかったの？」

「いいんだ、もう」

「いいん……それって、何か意味があるのかしら」

めずらしく、渉が言葉を慎重に選んでいる。

「何て言うかさ、これもひとつのタイミングだと思うんだ」

「タイミング？」

尋ねる言葉がかすかに震えている。

「これで、俺たち、終わりにしないか」

全身から力が抜けて行った。


翌日、乃梨子はマンションを契約した。

何かもう、それしか方法はないように思えた。渉と柴犬との生活は夢で終わった。いや、もともとそんなことなど夢物語としてしか考えていなかったはずだ。突然の別れ話ではあったが、遅かれ早かれこういう日が来ることは、付き合い始めた時から承知していた。ただ、それが昨夜だとは思っていなかっただけのことだ。

だから、ショックなんかぜんぜん受けてない。実際、別れ話を持ち出された時も「そうね、潮時かもね」と、あっさりと受け入れた。すがるようなみっともない真似など、少しもしなかった。

そのくせ、ひどく気が抜けていた。ぽっかりと胸に穴のあいた、という表現がぴったりとくるような空虚感だった。そんな自分に必要なのは、やはり張り合いなのだと思った。仕事をするための、毎日を生きてゆくための、張り合いだ。

ぴかぴかの新築のマンションは、きっとそれになってくれるに違いない。

「マンション、買ったんだって？」

郁夫に言われ、乃梨子は思わず肩をすくめた。

「相変わらず情報通ね。引っ越しはまだ三ヵ月も先よ」

「知り合いの総務の奴《やつ》から聞いたんだ。さすがだね。りっぱなもんだよ」

社員食堂で隣り合わせになり、世間話のついでのように郁夫は言った。

「よく言うわ、自分は世田谷に一軒家でしょう。私のマンションなんか値段も広さも三分の一以下よ」

「うちの社でも、独身女性社員の持ちマンション率がどんどん高くなる一方だな」

「だってみんな、あなたのようにちゃんと稼いできてくれる夫がいないもの」

「いないんじゃなくて、いらないんだろ」

「まあ、それもあるけどね」

どういうわけか、そんな言い方をされるとホッとし、すると同時に寂しくもなる。

それから乃梨子は改めて顔を向けた。

「そう言えば、薫は元気にしてる？　今度、食事にでも行こうなんて言ってたのに、あのままになっちゃって。気になってたの」

「それが」

郁夫は少し口籠《くちご》もった。

「何かあったの？」

いよいよ浮気がばれて離婚の危機かなどと、意地が悪いなと思いつつ、ちょっと期待した。

「実は今、悪阻《つわり》がひどくて、食事に出られるような状態じゃないんだ」

「えっ、おめでたなの」

思わず、声を上げた。

「うん、そうなんだ」

「そう、おめでとう」

「何だかさ、俺もついに父親になるのかと思うと、浮わついていられないって気分になってさ」

「そうよ、父親なんだものね」

口調としては明るく振る舞ったが、ひどく乃梨子は自分の気持ちが沈んでゆくのを感じた。薫は家庭というものを着々と築き上げている。ついに子供も誕生する。それに較べて自分はどうだろう。いつまでたってもしっかりした足場を作り上げることができず、ぐらぐら揺れる足元を気にしながら生きている。頼れる人はいない、頼られることもない。あるのは仕事とマンションだけだ。

私、これでいいのだろうか。

ふと、何か大切なものを、過去に置き忘れてしまったような気持ちになった。

その後、洗面所で化粧直しをしていると、憂鬱《ゆううつ》な気分に追い打ちを掛けるような話を耳にすることになってしまった。

「ねえ、営業の佐伯さん、最近、出入り業者の男とべったりなの知ってる？　週末同棲してるんですって。相手の名前、なんて言ったかしら、確か、そうそう、田島《たじま》渉とか言ってたわ」

指から、リップペンシルがするりと抜け落ち、床に当たって乾いた金属音を立てた。

age.33

†薫

娘の沙絵《さえ》はもうすぐ三歳になる。

今のところ、愛らしく、素直で元気な子に育ってくれている。

子育ては確かに大変だが、沙絵の寝顔を見ているとそれだけで、寝不足も、たまった家事も、面倒な姑や近所との付き合いも、みんなチャラにすることができる。

欲しくてたまらなかったせいもあるが、正直言って子供がこんなに可愛いものとは思ってもいなかった。

若い頃は、子供が好きじゃなかった。すぐ泣くし、べたべたまとわりつくし、ミルク臭くて、弱いくせに強情で、どう扱っていいのかわからなかった。

けれども今はもう、この子がいない生活など考えられない。自分でもその変わりように笑ってしまいたくなる。

「沙絵、そろそろパパを起こして来て」

薫がキッチンから声を掛けると「はぁーい」と、テレビを観ていた沙絵が、小走りに二階の寝室に続く階段を昇っていった。

朝、郁夫を起こすのはもう沙絵の役割になっていた。薫が行くと、どうにも不機嫌になる郁夫だが、沙絵だと素直に起きる。

新婚の頃、朝、郁夫を起こすのが楽しみのひとつだった。時には、郁夫にそのままベッドに引っ張り込まれ、慌ただしくも濃密なセックスをするようなこともあった。そんなことなど、今となれば気恥ずかしい遠い思い出だ。

夫の郁夫とは、小さな夫婦喧嘩はあるが、概《おおむ》ねうまくいっている。

危機があったとすれば、沙絵を妊娠した前後にかけて、郁夫が浮気していたことを知った時だろう。あれは本当にショックだった。

相手は同じ会社の女の子だ。薫が不妊ではないかと心を痛めていた時に、ようやく授かって悪阻で苦しんでいた時に、郁夫はその女の子と気楽な恋愛ごっこを楽しんでいた。

事が露見したのは、相手の女から薫に電話が掛かって来たからだ。彼女はすっかり舞い上がっていて「彼とのことは真剣です」とか「奥さんとの間はもう冷えきってると聞いてます」などと、いかにもありがちな言葉を口にした。

「男なんて、浮気相手にはみんなそう言うのよ」

と、その時はそれなりに妻としての威厳と余裕を持って対応した。けれども、今も忘れられないセリフがある。

「彼、もう女房は女じゃないって」

郁夫を問い詰めると、しばらくとぼけていたものの、やがてはすべてを白状した。そうして「もう終わったことだ」と開き直ったように言い訳した。「遊びだったんだ」とも「あっちも割り切ってると思ってた」とも。

だからと言って許せたわけじゃない。もちろん責めたし、揉《も》めもした。悪阻が重く、体調が芳しくなかったせいもあるが、感情的になり、離婚しようと本気で考えた。実際、実家にもひと月ばかり帰っていた。

それでも、結局は元の鞘《さや》に納まった。両親の説得もあったが、何と言っても、郁夫が頭を下げて「悪かった、戻ってくれ」と、迎えに来たことで気持ちが軟化したというせいがある。

その時、薫は初めて「妻の座」というものを意識した。

何だかんだ言っても、やはり妻の座というのは強い。男は、若くて可愛い女の子と短い恋愛を楽しんでも、結局は、もう若くも可愛くもない妻の方をやはり手放せないのだということを知った。

もちろん、腹立たしさはあったし、裏切られたという失望も消えたわけではなかった。けれども沙絵が生まれ、夫婦というより家族という単位で自分たちを考えるようになってからは、浮気なんて大したことではないと思えるようになっていた。今は、そんなことなどなかったように暮らしている。

ただ、ほとんどセックスはしなくなった。妊娠したせいもあるが、出産後は二、三ヵ月に一度くらいあればいい方だ。セックスレス。うちもそれに当てはまるのかもしれない。

「ママ、コーヒー」

言われて我に返った。沙絵が郁夫の腕から下りて駆けて来る。今では沙絵が妻のようなものだ。

「熱いから気をつけてね」

薫はカップを沙絵に渡した。郁夫はもうダイニングテーブルで新聞を広げている。

トーストとオムレツを用意して、薫は郁夫のテーブルに運んだ。

それからふと、昨日届いた葉書のことが思い出されて、顔を向けた。

「そうそう、乃梨子から今度転勤するって葉書が届いたの。本社から横浜支社ですってね。それって栄転?」

「そうだなぁ、難しいところだなぁ」

郁夫が新聞を畳んでテーブルの隅に置いた。

「難しいって?」

「彼女にとっては正念場だろうな。支社で実績を上げられれば、たぶん次は本社の課長の席が用意されることになる」

「もし、上げられなかったら？」

「だから、難しいところなのさ」

「そう、厳しいのね」

「彼女もここのところ色々あって大変だったからな」

「そうなの？」

「大きな取引先を他社に取られたり、部下に反目を食らったりなんてのが続いたからね。そういうこともあってガクッてきたのか、最近、ちょっと落ち込んでる」

「確か、年下の恋人がいたんじゃなかった？」

「ずっと前の話だろ。とにかく、そういう浮き沈みは女といえどもサラリーマンの宿命だから仕方ないさ。俺だって、いつそうなるかわからない。ほら、沙絵、あーん」

郁夫が沙絵の口にオムレツを入れる。

薫はキッチンに戻った。郁夫の言葉の中に「その点、おまえは気楽でいいよな」というような見縊《みくび》りを感じたのは考え過ぎだろうか。

自分のカップにコーヒーを注ぎながら、薫は小さく息を吐いた。

確かに、自分は郁夫の稼ぎで生活している。お金のことを心配しないで生活できることは感謝している。けれど、何もしないでただ食べさせてもらっているわけじゃない。やるべきことはちゃんとやっている。

専業主婦だってりっぱな職業だ。

結婚したての頃、郁夫はよくそう言ってくれた。手のこんだ料理をすれば誉《ほ》めてくれたし、掃除や洗濯に関しても「大変だろう」と労《いたわ》ってくれた。週末には手伝ってくれもした。けれど今は全然だ。手伝うどころか、何をしても「ありがとう」の言葉ひとつない。

そうなると自分も、感謝の気持ちを持つ気が失せてきた。むしろ、そんな気持ちを持つこと自体、損するような気分になってしまう。

以前は、毎月二十五日の給料日には、たとえ振込みで明細しかもらえなくても「今月もありがとうございます」と、頭を下げていたが、今はそんなこともしなくなった。

これは平等な生活分担だ。なのに、どうして自分ばかりが下手《したて》に出なければならないのだ。下手に出れば出るほど、郁夫はますます増長して、薫のやっていることに敬意を払わなくなる。だから今は、感謝されない分、自分も感謝しないでおこうという気分になっている。

「それから、沙絵のお教室のことだけど」

薫は付け加えるように言った。お教室というのは、もちろん幼稚園受験のための教室だ。姑や義姉の影響もあるが、薫も一年ほど前からそのことは考えていた。この近所の公立も悪くはないが、ゆとりある学校生活を送らせるためには、やはり私立がふさわしい。

できたら幼稚園から一貫教育を方針としているK学園に入れたい。あそこなら、誰に言っても恥ずかしくないし、義姉の息子が通っているA校よりランクも上だ。

「そのことは任すって言ったろう」

「それがね、結構お月謝がかかりそうなの、いい？」

「沙絵のためだ、仕方ないさ。な、沙絵、パパは沙絵のために頑張って働くからな」

結婚した頃、そのセリフは薫に向けられたものだった。それが今じゃ……と思いながら、薫は立ったままコーヒーカップを口に運んだ。

翌日、乃梨子を訪ねる気になったのは、正直言うと、郁夫から「ちょっと落ち込んでいる」と聞いたせいもある。

たまたま、会社近くのデパートに買物に出る予定があって、昼前、ランチの誘いの電話を入れてみた。急のことだから、会えなくても仕方ないと思っていたが、意外なことにあっさりとOKの返事があった。

十二時十分に、勤めていた頃よく利用したレストランで待ちあわせる約束をした。

電話を切って、薫はすぐにデパートのレストルームに駆け込んだ。鏡の前に立って、化粧を直し、髪を整えた。

乃梨子と会うのは久しぶりだ。沙絵が生まれて、乃梨子がお祝いを持って家に遊びに来てくれて以来だから、もう三年近くになる。

あの時は産後でかなり太っていたが、今はほぼ元に戻っている。服は買ったばかりのブラウスとスカートだし、バッグも乃梨子にはまだ見せたことのないブランドものだ。もしかしたらと思って家を出てきたので、それなりに恥ずかしくない格好をして来た。

これなら大丈夫だ。乃梨子に負けやしない。

約束の時間に現れた乃梨子は、少し老けたように見えた。いや、老けたというより、疲れているといった感じだった。

「久しぶり、電話もらってびっくりしたわ」

それでも、濃紺のパンツスーツをさらりと着こなす乃梨子は、いかにも働く女という感じがする。

「葉書もらったでしょう、横浜に転勤だって。そうなったらますます会えなくなるって思ってね。たまたま、近くのデパートに買物に来たものだから。ごめんなさい、ついでみたいで」

「いいのよ、気にしないで」

「それで、移るのはいつ？」

「来週の頭には行くわ」

ふたりでいちばん高いランチを注文した。ついでに、グラスワインも取った。

「いいの？　仕事あるのに」

乃梨子はあっさりと首を振る。

「いいの、これくらいの息抜きしなきゃ、やってられないわ」

「横浜までは通うの？」

「最初は迷ったの、片道一時間半はきついかなあって。でも、ラッシュと反対方向だから、ま、通えるかなって」

「マンション、買ったばかりだものね」

「もう三年よ」

ランチとワインが運ばれて来た。軽くグラスを合わせて乾杯した。

「沙絵ちゃんは元気？」

「おかげさまで」

「今日は？」

「近所の奥さんに預かってもらってるの」

「そうだ、お受験教室に入れるんですってね」

薫は思わずハーブサラダを食べる手を止めた。

「いやだ、郁夫ね」

男というのは、どうして家庭のことを安易に外で口にするのだろう。

「どこを狙ってるの？」

「そんな大それたこと考えてないわ。どこかに引っ掛かってくれたらいいなってぐらいの気持ちよ」

「またまた」

「本当だって。うちの子なんか、これといった特技も才能もないんだから」

もちろん、そんなことは思っていない。沙絵は年齢よりずっと利発で、絵を描くのがとてもうまいし、運動神経も他の子より発達している。

「そんなことより、横浜支社ではどんな仕事をするの？」

薫が話題を変えると、乃梨子はちらりと上目遣いをした。

「ダンナ様から聞いてない？」

「具体的なことは何も」

「そう」

乃梨子が白身魚の香草焼きを口に運ぶ。

「ホテルの各種イベントを企画するの。タレントのディナーショーとかトークショーとか」

「あら、素敵じゃない」

「言ってくれたら、いつでもチケット取ってあげるわよ」

「でも、そういうの、高いんでしょう」

「そうね、三万から五万、宿泊とセットだったら七万ってところね」

薫は思わず首を振った。

「私なんかとても無理」

「何言ってるの、優雅な専業主婦じゃない」

「冗談でしょう、家のローンに、沙絵の教育費でもう目一杯よ。その点、乃梨子はひとりだし、それこそ独身貴族じゃない。今年も、海外旅行に行くんでしょう。今度はどこ？」

「秋に、北欧にでも行こうかなって思ってるの。オーロラが見たいなって」

何でもないように言った。その前は確かエジプトで、その前は南仏だと聞いた。マンションのローンがあるはずだが、それ相応な収入もあるということだろう。

「いいわね、羨ましい」

「毎日、仕事に追われているんだもの、それぐらいの楽しみがなくちゃね」

「私は、旅行なんて沙絵を連れて実家に帰るのが関の山」

「実家なんて、ここ何年も帰ってないなぁ」

「ご両親、寂しがらない？」

「もうぜんぜんよ、慣れちゃってる」

「うちは、沙絵を連れて来いってうるさくって。外孫はやっぱり可愛いみたい」

「そう」

表面上はそれなりに会話が弾んだように思えたが、食事を終えて「じゃあ、また」と別れると、薫は急にぐったりと疲れが出た。

すべてのことに少しずつズレがあって、それに気づかないふりをするのは大変だった。

久しぶりに乃梨子を見て思ったことは、やはり、ひとりで働く女が持つ独特の「険」が身についたということだった。言葉の端々に皮肉の針が覗いている。どこか気持ちがささくれているような、女としての潤いに欠けているような印象があった。それだけきっと、つらい立場にいるということなのだろう。

かつて、仕事をバリバリこなし、年下の恋人までいると聞いた時は、焦りのようなものを感じたが、今日、こうして乃梨子と会ってみて、薫は少しばかりホッとしていた。

世の中、そううまくはいかないものだ。肩肘張って生きるのは自分に向いていない。やっぱり、今の生活が似合っている。

時計を見ると、そろそろ一時半になろうとしていた。そろそろ沙絵を迎えに行く約束の時間だ。薫は慌てて駅に向かった。

† 乃梨子

「必ず、成功させてみせます」

気がつくと、乃梨子は支社長に向かってタンカを切っていた。

ディナーショーの企画会議での席上だ。

「大した自信だね」

支社長が唇の端に見縊りの笑みを浮かべている。支社長以外の、会議に参加している社員たちはみな余所者《よそもの》を見るような目を向けている。

乃梨子はそれに屈しそうになる自分を奮い立たせた。

「タレントのショーももちろんお客さまに楽しんでいただけると思います。けれど、毎回それだけではマンネリ化の恐れがあるんじゃないでしょうか。バラエティに富んだプログラムを組むということで、もう少し、文化的なショーを加えることも必要だと思います」

「それで、ジェンダー問題（※）に詳しい女性大学教授の登場か」

皮肉っぽく、支社長が言う。もともと支社長は皮肉が得意なタイプだ。乃梨子が支社に異動になり、挨拶に出向いた時も「君が、本社で異例の抜擢で主任になったやり手という篠田くんか」と、オフィス中に響きわたるような大声で言った。口にはしないが、たぶん、女は愛嬌を振り撒いていればいいんだという典型的なタイプのようだ。

「その教授は弁護士でもありますし、テレビでコメンテーターもなさっているので、認知度は高いです。美人でインテリジェンス溢れるということで、若い女性にも憧れられています。きっとお客さまも集まってくれるはずです」

「コンタクトは？」

「先日、電話で話しました。内諾は得てあります」

「さすがに手回しがいいね」

「でも」

少し年下の男性社員が発言した。

「ディナーショーは、もともと楽しむためにお客さまに来ていただくもので、勉強の場じゃないんですから」

みなもっともだという顔をする。乃梨子は彼らに顔を向けた。

「お客さまの九十パーセントは女性です。女性問題にはみな、関心があるはずです」

「そういうのは、講演会とかトークショーでやればいいんじゃないですか。何も、ディナーショーじゃなくても」

「ディナーショーだから、新しいんじゃないですか」

「僕なら行かないなぁ」

「私なら行きます」

会議には乃梨子以外、女性はいない。主任以上の肩書きを持った社員だけの会議であり、横浜支社には、乃梨子以外に女性主任はいない。

「相当、成功させる自信があるようだね」

支社長が改めて言った。

「もちろんです」

「それだけ言うなら、まあ、一度試しにやってみるか」

※文化的・社会的な性差。生物学的性差の「セックス」とは異なる。

「はい、ぜひ」

思わず弾んだ声で答えた。

「君の、横浜支社での初めての仕事だからね。お手並み拝見とさせてもらおう」

「ありがとうございます」

乃梨子は深く頭を下げた。

正確に言えば、自信があるというのとは少し違っていた。何としても成功させなければならない。それが、乃梨子の意地でもあり、また賭《か》けでもあった。

異動に関しては、仕方ないことだと思っていた。信頼していた部下の男性社員が、得意先のデータを持ってライバル社に転職し、大手を三社も奪われていったことは、社にとってかなりの痛手だった。上司としての責任は取らなければならない。けれども、彼はもともと乃梨子とは関係のない部署の課長の紹介で入社して来たのだ。それなら、その課長にも責任はあるのではないか、と思うのだが、そちらにはお咎《とが》めなしだった。

それからもうひとつの件、佐伯美奈子のことがある。

彼女のことは今思い出しても腹が立つ。かつて乃梨子の恋人だった年下の渉を、横から奪った、あの女だ。

そのことはもういい。もう四年近くも前の話で根に持ってるわけじゃない。あれから半年もたたぬうちに彼女は別の男を見つけ、渉はふられた。あの時、渉は図々しくもヨリを戻そうと言ってきたが、乃梨子はきっぱりと撥《は》ねつけた。彼女をふって来たならまだしも、ふられて来た男を受け入れるなんて、乃梨子の自尊心が許さなかった。

とにかく、そのことは関係なく、美奈子はそれからも乃梨子の下で働いていた。どこの部署でも使いものにならなかった彼女は、しょっちゅう異動させられていて、乃梨子もいつも「あと少しの辛抱」と思っていたのだが、結局、ずっと押しつけられるハメに陥った。そうして、得意先の男と不倫関係になり仕事とプライベートの区別がつかない状態となって、タクシーチケットや飲食の領収書を回すようになった。やがてそれが露見して、管理不行届き、と乃梨子は厳しく上司から注意を受けた。

結局、そのふたつの事件が原因となって、乃梨子は横浜支社への異動となったのだ。

挽回《ばんかい》したいという思いが強くある。どちらも乃梨子自身の能力とは関係のないトラブルだ。横浜支社で成果を上げれば、乃梨子に対する会社の評価も再認識され、本社に戻れる可能性は大きいはずだ。だからこそ失敗は許されない。

企画が通ってから、乃梨子は再び女性大学教授に交渉に出向いた。

内諾は得てあるものの、問題はギャラだった。テレビのコメンテーターでは、乃梨子の想像よりかなり高額のギャラが支払われていた。同じ番組に名の知れたタレントも出演しているが、驚いたことに、それより上なのだった。芸能界には文化人ランクというものがあり、それはかなり高額に設定されているらしい。

しかし、このディナーショーではギャラをタレントより上にすることはできない。衣裳《いしょう》にしてもタレントほどかかるわけではないし、バンドやダンサーやバックコーラスを入れるわけでもない。しかし、その女性大学教授はなかなか一筋縄ではいかなかった。

「私の知識は、三流タレントの下手な芸より価値が低いとおっしゃるのかしら」

四十代後半の、美しくて、頭がよくて、プライドの高い女は、ある意味で、世間知らずでもあった。

「とんでもないです。タレントのギャラが高いのにはそれなりの訳があるんです。彼らには色々と諸経費が必要です。事務所もついておりますし、器材やスタッフも必要です。ですから、実質的には、タレントより先生の方がずっとギャラは上なんです」

それでも、なかなか納得してもらえず、それからも説得のために何度も足を運ばねばならなかった。

今更、支社長に「取れませんでした」とは言えない。それみたことか、と、鼻でせせら笑われるだけだ。本社に帰る道も遠くなる。

その日も、ギャラ交渉がうまくいかず、乃梨子は疲れた足取りで帰りの電車に揺られていた。ラッシュと反対方向とは言え、毎日、往復三時間の通勤はきつい。

ふと見ると、ガラス窓に疲れた女の顔が映っていた。それが自分だと気づいて、乃梨子は驚いた。

「いったい、私は何のためにこんなに頑張っているんだろう」

急に、そんな思いが頭に浮かんできた。

頑張ろうが、手を抜こうが、自分の給料が変わるわけじゃない。本社に戻りたいとか、もう少し出世したいとか、そんな野心を持っても、いずれは定年退職だ。後は六十歳になったひとりぽっちの自分が残るだけ……。

転勤前、薫とランチしたことを思い出した。

すっかり主婦となった薫は、緊張感はなかったが、逆にそのゆったりとした口調や動作が、以前にはなかった落ち着きを感じさせた。

愚痴や不満を口にしていたものの、守られているという自信と安心を確固として持っているのが見えた。目下の悩みが娘のお受験というのも、笑ってしまいたかった。早い話、とても幸せなのだった。

乃梨子が頑張っている理由はひとつ、自分を守ってくれる者は自分しかいないからだ。頼れる者も自分しかない。田舎の両親だって、すでに弟夫婦とその子供たちとひとつの家族を作り上げている。もう、乃梨子の割り込む余地はない。

すべて、自分で選んだ人生である。誰かに押しつけられたわけじゃない。みんな、自分が好きでやってきたことなのだ。

でも、本当にこれでよかったのだろうか。私は何か間違えてやしないだろうか。

不意にそんな不安に包まれて、ガラス窓の自分から目を逸らし、乃梨子は固く目をつぶった。

乃梨子の熱心な説得に折れたという形で、ようやく女性大学教授はディナーショー出演にOKを出した。チケットは一万五千円。ギャラもタレントの半分だが、質の高い内容にしたいと思っていた。ホテル側も、イメージ的にプラスになると踏んだらしく、会場もかなりの広さを用意してくれた。チケットは二百枚。すぐに予約販売を始めた。

疲れはたまる一方だったが、とにかく、このショーを成功させるまでは弱音など吐いていられない。終わったら、しばらく休暇を取ってどこかでのんびりしよう。そうだ、薫に言ったように、北欧にオーロラを見に行こう。きっと心も身体も癒《いや》されるに違いない。もう少し頑張れば休める。成功させさえすればすべては報われる。

……チケットはぜんぜん売れなかった。

予約の電話はほとんど鳴らず、焦った乃梨子は仕事関係やら、友人やら、一度しか会ったことがないような相手にまでも、連絡を取ってみたが、せいぜい捌《さば》けたのは五十枚そこそこだった。

あとは祈るような気持ちで当日券に賭けたが、それも叶わず、席は半分も埋まらなかった。客たちはみな、居心地悪そうに席に座っていて、結局のところ、ディナーショーは大失敗に終わることになった。

会場の隅に立ち、乃梨子は身体から力が抜けてゆくのを感じた。最後の望みとして、たとえ少ないお客さまでも、せめて満足して帰っていただけたらという思いがあった。それが、次につながることにもなるはずだ。

けれども、閑散とした会場に女性大学教授はすっかり気分を悪くして、数少ない客たちにまるで八つ当たりするかのように、持論をぶつけた。意識が低いと、平和ボケなのではないかと。たぶん、こんなディナーショーには誰ももう二度と来たいとは思わないだろう。

明日、支社長に何て言えばいいだろう。赤字をどう埋めればいいだろう。私の企画のどこが悪かったのだろう。

乃梨子はぼんやりと考えていた。


その夜、めずらしく田舎の母親から電話があった。

「こんな話、あんたは怒るかもしれないけれど」

乃梨子はぼんやりと答えた。

「何なの?」

「伯母さんがね、あんたにどうだって縁談を持って来たのよ」

「縁談……」

「私は言ったのよ。うちの乃梨子は東京でマンションも買って、仕事に夢中で、もう結婚する気はないみたいって」

「別にそんなわけじゃないわ」

思わず言っていた。

「あら、そうなの？」

母がびっくりしたように聞き返した。

「だからって、その気があるってわけでもないけれど」

けれど、母の耳にはもう他のことは入らなくなってしまったようだ。

「なんだ、そうだったの、だったら早く言ってくれればよかったのに。じゃあ、とにかく釣り書きと写真をそっちに送るよう、伯母さんに言っておくから」

「やだ、いいよ、そんなの」

「とにかく見るぐらいは見たっていいじゃないの」

乃梨子は黙った。

正直を言うと、心のどこかで、それも悪くないと思っていた。もう、疲れた。薫のように誰かに頼りたい。誰かに守ってもらいたい。

ぼんやりと、違う人生を考えた。これで結構、自分だって主婦業も向いていたんじゃないかと思う。今は時間がなくてほとんど料理もしないが、もともと嫌いな方じゃない。掃除だって洗濯だって、面倒だと感じるのは仕事があるからだ。仕事さえなければ、きっと楽しくやれる。それに子供だってまだ遅くない。今なら産める。薫のように、心配事は夫の浮気と子供のお受験になったら、どんなに気楽に生きてゆけるだろう。

結婚すれば、今抱えている面倒なことからすべて解放されるように思えた。

「まあ、見るぐらいなら」

そんな言い訳をしている自分に、乃梨子は気づかないふりをした。


当然ながら、支社長からはたっぷりと絞られ、皮肉られた。周りの対応も冷ややかなものだった。

あれほどのタンカを切っただけに、肩身が狭く、自分のデスクに戻っても落ち着けるはずがなく、身の置き所がないというのはこんなことなのだと実感した。

数日後、疲れ切った身体でマンションに帰ると、郵便受けに大きめの封筒が差し込まれていた。

ピンと来た。

きっと例の釣り書きと写真だ。

「どうせロクなもんじゃないわ」

などと、呟きながらも、期待は徐々に膨れ上がってゆく。

私を守ってくれる誰かとの出会いが、この封筒の中に入っているかもしれない。部屋に入って、バッグをソファに放り出し、すぐに封筒を開いた。恐る恐る、けれどもわくわくしながら、写真を取り出した。

瞬間、落胆のあまり、泣きそうになった。

どう見ても、四十代半ばの男だった。髪はすでにかなり薄く、逆に妙に髭《ひげ》が濃い。ハンサムにはほど遠いが、それは仕方ないにしても、心が動かされるような雰囲気がまるでなかった。たとえ居酒屋で偶然に隣り合わせるようなことがあっても、決して言葉を交わしたくないと思うような相手だった。

とりあえず写真はテーブルに置き、今度は釣り書きの方を開いた。思った通り、年齢は四十四歳、役所勤め。その上、子供がふたりいた。小学四年生の男の子と小学校一年生の女の子だ。

世の中からすれば、これが乃梨子に似合いの相手なのだ。

そのことに、今更驚くこと自体、甘っちょろいと言われるのだろう。自分をいったい何様と思ってるんだと、呆れられるのだろう。

あはは、と乃梨子は声を出して笑ってみた。

あはは、あはは……。

けれどそれは、ほとんど泣き声となって、自分の耳に届いた。

身体が飢えているのではなくて、心が求めているのだと、薫は思う。今夜も空いたままになっているベッドを眺めながら、眠れぬ夜を過ごしている自分が口惜《くや》しかった。何も考えずに寝てしまえたらどんなに楽だろう。家事と育児とで疲れ果てているというのに、どういうわけか目だけは冴《さ》えている。

深夜帰宅など、今に始まったことではなかった。郁夫の仕事がどんなに忙しく不規則かということは、結婚前から知っていた。

それでも、薫にはわかるのだ。

本当に仕事なのか、実は、そうではないのか。

郁夫の様子が、どことなく浮わついていると感じるようになったのは、三ヵ月ほど前からだ。

かつての経験から、すぐにピンと来た。

女だ。

改めて様子を窺《うかが》ってみると、笑ってしまうぐらいあの時と同じだった。やけにネクタイとスーツの組合せを気にしたり、靴を自分で磨いてみたり、長く使っているトランクスをはかなかったり、気味が悪いくらい優しかったり、かと思ったら、うわの空だったり。

けれども、事を荒立てるのは得策ではない、ということもわかっていた。何のかんのと言っても妻の座は強い。どんと大らかに構えていれば、どうせいつかは恋愛ごっこになど飽きて家庭に帰ってくる。可愛い娘の沙絵もいるのだから、どう転んでも、離婚なんかできるわけはない。釈迦《しゃか》の心を持って、手のひらで遊ばせてやればいい。

そう、頭ではわかっている。わかっているのに、心はどうにも割り切れないのだった。それは嫉妬《しっと》だと言われるかもしれないが、それとは少し違うような気がする。口惜しさはあるが、それはたとえば恋人時代に「あの人に他に好きな人ができるなんて許せない」と感じたのとは異質に思う。あの時の思いの裏側には「もし、そうなったらどうしよう」と不安な気持ちが張りついていて、「あの人を繋《つな》ぎ止めるためなら何でもするわ」とも決心していた。けれど、今は「私に面倒なことをみんな押しつけておいて、自分だけ楽しんでいるなんて」という腹立たしさだ。

実際、その通りではないか。

彼女の前で、パリッとした格好でいられるのは、薫がちゃんと洗濯をし、アイロンを掛けているからだ。自分は高級なレストランでロマンチックな食事をしていられるのは、薫が毎日、家計のことを考えて少しでも安いスーパーを回って節約しているからだ。実家や隣り近所との付き合いや、沙絵の受験のことも、みんな薫がひとりで引き受けている。つまり、彼女の前でいい格好ができるのは、面倒なことを薫がすべて陰で賄っているからなのだ。

そのことを、郁夫はどう思っているのだろう。

ああ、セックスだってそうだ。最後にしたのはいつだったか忘れてしまったほど、もう遥か遠い彼方《かなた》だ。それに文句を言ったことはないが、妻というのは、セックスなんかしなくても平気で生きられる生き物だと郁夫は思っているのだろうか。今回も、前の女に言ったように「妻なんてもう女じゃないんだ」などと、大人の男を装いながら愚痴を洩《も》らしているのだろうか。

薫はふと考える。

同じ三十四歳の独身女より、きっと自分はセックスしていない。

だからと言って、セックスさえすればそれでいいのかと言われるとそれもまた違う。義務感にかられて仕方なく、というようなおざなりなセックスなら、しない方がまだましだ。頭の中では違う女のことを考えているに違いないと想像できるような、敬意も思いやりもない、ただ放出するだけのセックスなら、きっぱりと拒否する。

本当の本当を言えば、セックスなんかなくてもいいと思っている。

郁夫と、それなりのスキンシップがあれば、それで十分なのだ。なのに、郁夫はそのことにさえ気づこうとはせず、知らない女との逢瀬《おうせ》にうつつを抜かしている。妻の寂しさも、妻の孤独も気づこうとしない夫など、いったい何のためにいるのだろう。

だったら私も。

薫は、空いたベッドを見ながら呟いた。

郁夫がそうなら、私だって。

そう考えるのは、当然のことのように思えた。

最近、ちょっとした出来事があり、公園に集まる似たような年代の主婦たちの間で話題になっていた。

時折、息子を連れて来ていた主婦が、家庭もその息子も捨てて、まだ二十代半ばの若い男と駈《か》け落《お》ちしたのである。

「まさか、あの奥さんが」

と、それを聞いた誰もが、驚きを隠そうともせず言った。もちろん薫もその中のひとりだ。若い男と駈け落ち、などと聞けば、どうしたって美しく魅力的な人妻を想像する。けれど、その奥さんはお世辞にも美人とは言えなかった。その上、いつも格好はダサく、性格も地味で、自分から話題を提供するような社交性もなかった。もっとはっきり言ってしまえば、存在感のないつまらない主婦にしか見えなかった。

その主婦が、駈け落ちしたのだ、それも年下の若い男と。

動揺も含めて、話題にならないわけがなかった。

「世の中には、物好きがいるわよね」

「ほんと、ああ見えて、実は手練手管に長《た》けたしたたかな女だったりして」

「その若い男、きっとすぐに後悔するわ」

「そうよ、逃げられるに決まってる」

それぞれに、言いたいことを口にしたが、その言葉の端々には、どこか羨ましさが滲み出ていた。

薫にとっても、考えさせられる出来事だった。

今、沙絵や家庭を捨てて誰かと駈け落ちするなんて考えられない。想像もつかない。

けれどももし、人生がリセットできるチャンスが与えられたなら、自分はどうするだろう。やはりもう一度、郁夫を結婚相手に選んだだろうか。今の生活が待っていると知っていても、ここに続く道を選択しただろうか。

それればかりではない。あの奥さんに起きたことが、どうして自分の身には起きないのか、という気持ちも少なからずあるのだった。こう言っては何だが、あの奥さんよりかは綺麗なはずだ。女として劣っているわけではないと思えるのに、どうして自分には恋心を抱く、いや声を掛けてくるだけの男でさえ、ただのひとりもいないのだろう。

そうして、いいようもない不安と孤独に包まれる。

私は夫に見放されたまま、年を取ってゆくのだろうか。

まだ三十四歳というのに、セックスもないまま、枯れてゆくしかないのだろうか。

学生時代のボーイフレンドに連絡を取る気になったのは、だから、そう不自然なことではなかったのかもしれない。

かつての自分にもう一度戻ることができたら。

もちろん、そんなことは埒もない考えと認識している。けれども、ほんの少し、ビデオを巻き戻しするように、かつての自分を思い返すぐらい、郁夫のしていることに較べたら、罪になるはずもないと思えた。

学生の頃、しばらくの間付き合った男の子がいた。彼、織田良雄《おだよしお》はラグビー部の主将で、見た目にも爽《さわ》やかなスポーツマンタイプだった。周りからよくお似合いのカップルだと言われたが、あの頃はまだ若く、お互いにわがままで、ほんのちょっとした行き違いからケンカ別れしてしまった。織田の方はすぐにヨリを戻したいと言って来たが、その頃にはもう、薫は他に彼がいた。それでも何度か「やり直さないか」と言われた。織田は確かに薫に未練を持っていた。薫がその気になれないまま、結局、卒業を迎えて関係は疎遠になってしまったが、今も年賀状の交換だけは続いている。

織田は今、大手の出版社に勤務している。三年前に結婚し、すでに年子のふたりの子供がいる。彼からの年賀状に結婚したと書かれてあったのを見た時、身勝手だとは思いながら、ひどく落胆したのを覚えている。自分はすでに郁夫と結婚しているというのに、どこかで

「もしかしたら、今も私を……」などと、自惚《うぬぼ》れた気持ちがあった。とにかく、連絡を取ってみようと思いついたものの、実際に行動を起こすには、やはり想像以上の勇気がいった。

何てばかばかしいことをしようとしているのだろう、と、それくらい何でもないどうってことない、が交互にやって来た。

それでも決心をしたのは、昨夜、郁夫がついに無断外泊をしたからだ。

「参ったよ、徹夜マージャンに付き合わされてさ」

そう言いながら、明け方帰って来た郁夫は身体中からひどく清潔な匂いをさせていた。残っていた迷いも罪悪感も、それで消えていた。

沙絵が昼寝をしている午後二時。薫は電話の前で息を整えた。会話のシミュレーションはもう何度もしている。共通の知り合いの名前を出し、その連絡先を知りたくて、というのが、考えた末にひねり出した理由だった。

もし、織田に少しでも素っ気ない態度を取られたら、すぐさま話は切り上げるつもりでいた。媚《こ》びるような真似は決してしない。自分から「会おう」などと誘いを掛けるようなこともしない。それを薫は自分に厳重に課していた。

そうして呼吸を整え、受話器を持ち上げたのだった。

案の定、織田は相手が薫と知ると、驚きの声を上げた。

「えっ、本当に薫？」

「ええ、そうよ。久しぶり。ごめんなさい、突然、電話なんかして」

「いや、いいんだよ。でも、びっくりした。何でまた急に」

薫は予《あらかじ》め用意していたセリフを慎重に口にした。

「でね、もしかしたら織田くんならわかるかなと思って」

「おやすいご用だ、何てったって薫の頼みだからな、大至急調べてやるさ」

そんな織田の言葉に、ふと、心がくすぐられる。

「ありがとう、助かるわ」

「でも、もちろん、このお礼はしてくれるんだろう」

織田の言葉に、薫は何かが動き始めるのを感じた。

「お礼？」

「当然だろ」

「何をすればいいの？」

「飯を奢《おご》る」

「たった住所を聞いただけで？」

「じゃあ、お茶でもいい」

口調が学生時代に戻っているのを感じた。

「ふふ、そうね、お茶ぐらいなら」

「俺はいつでもいいよ、何なら今夜でも」

「私はそうはいかないわ」

「だよな、人妻だものな。じゃあ、薫の都合に合わせるよ」

沙絵を近所の主婦仲間に預けることを考えた。似たような年の子供を持つ母親は、買物や急用のために互いに協力しあっている。

「あさっての午後なら」

「よし、それに決まり。それまでに住所を調べておくよ。えっと、じゃあ待ち合わせは」

場所と時間を織田はてきぱきと言い、薫は慌ててメモをした。


化粧はこれでよかっただろうか。グロスは塗り過ぎていないだろうか。服はどうだろう。迷った挙げ句、胸が深くVカットされた黒のワンピースを選んだが、気合いが入り過ぎていないだろうか。

完全に浮き足立っている。

それに気づいたのは、待ち合わせの喫茶店に向かうため、六本木駅を出て、ショーウィンドウのガラスに映った自分を見た時だった。

そんなことないわ。

と、口の中で呟いたが、実は、まさかと思いながらも万が一、ということを考えて、いちばん高いシルクの下着を着けてきたことがその証拠のように思えた。

一瞬、このまま帰ってしまいたい衝動にかられた。自分は開けてはいけないドアを開けようとしているのではないか。戻るなら今だ。そう思う半面、たかが昔のボーイフレンドとお茶を飲むくらいで何を恐れているのだろうと笑いたくなった。かつては、当たり前のようにお茶もお酒も飲んでいたではないか。

薫は深く息を吐き出した。

だいたい今は昼間だ。何かが起きるなんてことは、あるはずもない。どうせ、夕方までには帰らなければならない。沙絵がきっと首を長くして待っている。いや、でも電話をすれば八時頃までは大丈夫だ。もし食事に誘われたら、バーに誘われたら、もっと引き止められたら……ああ、考え過ぎだ。これはほとんど妄想だ。

待ち合わせの喫茶店に入ると、織田はまだ来ていないようだった。空いた席に座ろうとすると、薫を呼ぶ声がした。

「おい、薫、ここだよ、ここ」

その声に、薫は顔を向けた。

「よぉ、久しぶり」

少し離れたテーブルで、薫に向かって手を上げている男がいる。一瞬、誰だろうと首を傾《かし》げた。

それが十二年ぶりに見る織田だと気がつくまで、しばらく時間がかかった。たった十二年ではないか。いや、同時にもう十二年もたってしまったのだと思った。どちらにしても、その十二年は、薫の想像を遥かに超えて、織田を変えていた。

「ほんと、久しぶりね」

薫は笑顔をつくり、織田の向かいのソファに腰を下ろした。精一杯の笑顔のつもりだが、自分の唇から頬にかけて強ばっているのがはっきりと感じ取れた。

「薫、ぜんぜん変わらないなぁ」

「そう？」

あなたも、とはとても言えなかった。織田は変わり果てていた。

「俺、太っただろ」

「そうね」

「会社に入って、運動からまったく離れたらてきめんさ。おまけに女房が料理上手でさぁ」

ふた回りは太くなっていた。顎《あご》から首にかけて、贅肉が襟巻のようについていた。そうして、前髪はかなり後退し、それを隠そうと髪にボリュームを持たせているのだが、却《かえ》ってそれが薄さを目立たせ、どうにかしてハゲを隠したいという男のさもしさが窺われた。

「まず、これが頼まれてた住所ね」

「ああ、そう、そうだったわね。どうもありがとう」

メモを受け取りながら、薫はすでに席を立つタイミングをいつにしようか、そればかり考えていた。

age.39

† 乃梨子

会社を辞めてから半年が過ぎた。

次の就職先のアテはなく、今は失業保険金で暮らしている。けれども、これが切れたらどうなるのだろうと、正直なところ乃梨子は不安な思いでいっぱいだった。

マンションのローンはまだ残っている。ある程度の退職金は支給されたが、もちろん完済できるほどの金額ではなく、たとえ完済できたとしても、それをすれば手持ちの預金はゼロになってしまう。買った時はイザとなれば売ればいい、などと楽観的に計算していたが、中古マンションは巷《ちまた》に溢れ、供給がだぶついていて、売るとなるとかなり買い叩かれることになるだろう。だいいち、それでは乃梨子自身が、住むところがなくなってしまう。せっかく気に入っているマンションだ、できるならここに住みたい、手放したくない。

とにかく、今、必要なのは仕事だ。

そのことはよくわかっていて、今日もハローワークに行って来た。けれどもこの不景気に、ましてや三十九歳の女に、そう簡単に見つかるはずもなかった。

もっとも、そんなことぐらいせんから承知していた。いくらリストラにあい、露骨な肩叩きをされても、後先考えずに辞めるような早計なことはしないくらいの知恵は持っていた。辞表を提出したのは、転職のアテがあったからこそなのだ。なのに、ぎりぎりになって約束は反古《ほご》にされてしまった。

乃梨子はベッドにもたれかかり、煙草の煙を天井に向かって細く吐き出した。

まったくもって、横浜支社に移ってからロクなことはなかった。

最初に企画したディナーショーが大コケしたのが始まりだった。それから無難なプログラムを組むようにして来たのだが、出演を約束していたタレントがショー前日に急病にかかったり、たまたまその日が台風直撃を受け交通機関が止まったり、ホテルが倒産したりと、トラブルが続いた。

支社長は乃梨子に見切りを付け、本社に戻した。配属は総務の郵便物整理だった。明らかに左遷人事ではあったが、乃梨子自身はまだ巻返しができると踏んでいたし、やる気にも満ちていた。

笹原郁夫はすでに次長に出世していて、そんな乃梨子のことを気遣い、「もうしばらく我慢してくれたら、俺が何とかする」と言ってくれていたのも心強く感じていた。その言葉を信じて頑張っていたのに、結局、次の異動で資料室に回された。何だかんだ言っても、郁夫も自分を守るだけで精一杯なのだろう。そうして、やがて乃梨子は明らかにリストラ対象者となり、退職へと追い詰められた。

そんな時、以前に仕事で知り合ったイベント会社の役員である近藤文雄《こんどうふみお》と顔を合わせた。たまたま、知り合いが開いたパーティの席でのことだ。

近藤は、かつて本社の営業部にいた頃の乃梨子を気に入ってくれ、よく名指しで企画を任せてくれていた。

乃梨子の今の状況を知って、彼はひどく憤慨したようだった。

「君みたいに才能ある人間が資料室だなんて、会社の上層部はいったい何を考えているんだ」

不覚にも、その言葉で、乃梨子は涙ぐんでしまった。

どれだけ頑張っても誰にも認められない。そんな疎外感をずっと味わって来て、ようやく自分を理解してくれる人と出会えたように思えた。

それがきっかけとなって、乃梨子は近藤とちょくちょく会うようになった。近藤は五十代半ばだが、少しもくたびれた感じはしない。やはり仕事のできる男というのは存在感がある。一緒にいると、彼の持つエネルギーがこちらにまで伝わって来るような気がした。

とにかく、近藤と一緒にいると安心できた。

その思いは限りなく恋に近くて、三度目の食事の帰りにホテルに誘われた時も、それがひどく自然のことであるように感じて、乃梨子は少しも迷わなかった。

「あんな会社にしがみついてる必要はない。君の才能の生かせる場を、僕が必ず紹介してあげよう」

ベッドの中で、近藤は言った。

「いえ、私は、そんなつもりじゃ……」

「わかってる、気を悪くしないでくれ」

けれど、それはまさに渡りに船の言葉でもあった。

「でも、もし本当にそうしていただけるなら、すごく嬉しいです」

「だったら、僕にみんな任せておきなさい。悪いようにはしない。給料だって今と同じ、いや、今以上のものをちゃんと用意させるから」

何て心強い言葉だろう。それは「愛している」よりも、もっと乃梨子をうっとりさせた。

それで、ようやく会社を辞める決心がついた。もう怖くなかった。辞めてやる、と思った。

あんな会社、もううんざりだ。

上司に辞表を提出する時の、爽快感ときたら最高だった。

「来月いっぱいで辞めさせていただきます」

乃梨子は胸を張ってきっぱりと口にした。今まで鬱積《うっせき》していたものを、一気に晴らしたような気分だった。

今まで、上司の「会社に置いてやっている」と言わんばかりの態度に抗することができなかった。まるで「この会社に勤められるなら何でもします」というような、ひどく卑屈な態度を取らなければならなかった自分がどんなにみじめだったか、腹立たしかったか、口惜しかったか、情けなかったか。上司はホッとしたように「そうか」と短く答えただけで辞表を受理したが、乃梨子は本当は言ってやりたかった。

「次は、おたくがリストラよ」

それからも、近藤とは週に一度くらいのペースで会った。もちろん近藤は結婚しているが、不倫という感覚は乃梨子にはなかった。

「この人に任せておけばすべて大丈夫」

というような、心強さや尊敬に近い感覚だった。もちろん、それだけでベッドに入れるはずはない。近藤はたぶん、数多くの女たちと遊んで来たのだろう。セックスも上手で、乃梨子は時々、我を忘れて声を上げることもあった。

ところが実際に退職してから、近藤の言葉のニュアンスが微妙に変わり始めた。

「少し待ってくれないか、なあに、ほんの少しのことだ」

「今、タイミングを測ってるところなんだ」

「ちょっと、時間がかかるかもしれないなぁ」

「いろいろと、状況が変わってね」

そうして、それまで頻繁に取り合っていた連絡も、どういうわけかなかなかつかないようになっていった。

頼りの綱と思っていた近藤のそんな様子に、乃梨子は少しずつ不安な思いを募らせていった。

そうしてひと月後、ついに切羽詰まった思いにかられて、乃梨子は携帯ではなく会社に直接電話をした。すると、近藤は今まで聞いたことがないような不機嫌な声で言った。

「今、忙しいんだ。こっちから電話するまで待っていてくれないか」

それがどういうことを意味しているかぐらい、乃梨子にもわかる。

近藤は迷惑がっている。

もし、そこにあるのが恋愛だけなら、割り切れなさはあっても、乃梨子もこの関係に見切りをつけることを考えたろう。男と女の間には、そんな理不尽さがいつもつきまとっている、ということぐらい、何度かの恋愛の経験から知っていた。

けれど、近藤とはそれだけじゃない。転職の話が絡んでいるのだ。これからの乃梨子の生活が、人生がかかっているのだ。

それとも、近藤ははじめからそのつもりで、つまり単なる口説き文句として、再就職のことを口にしたのだろうか。そんな言葉に乗せられて、ベッドにまで入ってしまった自分は単なる愚かな女だっただけということなのだろうか。

それから、またひと月ばかりが過ぎた。

待っていてもやはり連絡はなく、これでは埒が明かないと、乃梨子は覚悟を決めて、再び近藤に電話をした。

もともと、転職の話を持って来たのは近藤の方なのだ。おいしいことを言うだけ言って、今更知らん顔はあまりに無責任だ。もし、近藤からそんな話を聞かされなければ、会社を辞めるようなことはしなかった。こうなったら責任は取ってもらわなければならない。もし、それでも話がつかないようなら、出るところに出たっていい、奥さんにみんなバラすと脅したっていい、それくらいの気持ちになっていた。

そうして、ようやく近藤と会える算段がついた。

乃梨子は緊張した思いで、待ち合わせの場所に出掛けた。いつも使っていた銀座のホテルのバーで、近藤はカウンターの席に座っていた。

乃梨子が近付き、近藤が振り向いた。

ほんの少し、近藤が笑った。いつもの彼らしくない、弱々しい笑みだった。そうして、最初に口にしたセリフがこうだった。

「失脚した」

お正月は大嫌いだ。

テレビは面白くないし、ビデオは貸し出し中ばかりだし、ショッピングに出ても街は家族連れで溢れ、ひとり分のおせち料理なんて買う気もないし、作る気もしない。

だから毎年、お正月は海外で過ごすことに決めていた。去年はチュニジアに、おととしはタヒチに、その前はベトナムに行った。けれどもさすがに今年は、そんなことができるはずもなく、部屋でひとりで過ごしている。

もし、このまま仕事が見つからなければ、いったいどうなるのだろう。

実家には、まだ会社を辞めたことは言ってない。転職してから話すつもりでいたのだが、こんなことになって話しそびれたままの状態になっている。もし、正直に言えば両親は「帰って来い」と言うだろうか。それはそれでとても困るが、もし、何も言われなかったことを考えると、もっといたたまれない気分になった。

実家にはすでに、乃梨子の部屋はない。三十九歳の独身の娘がそんなところに帰っても、両親にしてみれば、弟家族にも、近所にも、親戚《しんせき》にも肩身の狭い思いをするだけだろう。

私にはもう帰る場所さえなくなってしまったのだろうか……。

つい、そんな気持ちに包まれて、また落ち込みそうになった。

乃梨子は気を紛らわすつもりで、慌てて目の前の年賀状の束を手にした。

一枚めくるたびに、懐かしい顔が思い出されていった。友人たちはほとんど結婚し、もう子供も大きくなった。平凡だけれど穏やかな幸せが、短く書かれた文字から滲み出ていた。だんだんと、めくる指が重くなった。

『我が家に家族が増えました』

　薫からの年賀状だった。

『どういうわけか、去年、授かりました。ちょっと恥ずかしいんだけど、子育てをもう一度やるのもいいかなと思ってます。郁夫から、乃梨子が新しい仕事に就いたと聞きました。相変わらず、バリバリやってるんですね。一度、子供の顔を見に来てください』

　ご丁寧に、ふたりの子供の写真入りだった。上の女の子は、目元が郁夫にそっくりだった。

「薫、幸せね……」

　思わず呟いた。

　なのに、私はひとりぽっち……。

　その思いが胸を締め上げてゆく。今、この世の中で、私のことを考えてくれている人間はただのひとりもいない。所詮、社会から置き去りにされた存在なのだ。誰にも思われることのない人間なんて、結局、この世にいないのと同じなのではないか。いったい何のために、私は生きているのだろう。

　気がつくと、ぽろぽろと涙が頬をこぼれ落ちていた。

　どうしてこんなことになってしまったのだろう。私なりに一生懸命生きてきた。仕事だって頑張った。自慢できるほど善人ではないけれど、誰かにひどいことをしたという覚えはない。もしかしたら、知らないうちに神様の怒りに触れるようなことでもしたのだろうか。これは何かの罰なのだろうか。

　こんな人生を送るつもりじゃなかった。本当はもっと普通の、夫がいて子供がいて、お正月にはお餅《もち》や蜜柑《みかん》を囲んで笑い合って、ささやかな、けれどかけがえのない家族に囲まれて、心穏やかに過ごすことになるはずだった。

　いったい自分は、どこでどう道を間違えてしまったのだろう。


　鬱々としたお正月が明けると、乃梨子はまるで発作でも起こしたように、旅行会社に飛び込んでイタリア二週間の旅を申し込んだ。

　どうにでもなれ、というところまで来ていた。なるようにしかならない、と開き直ることだけが、今の自分を唯一救える手段のようにも思えた。

　もう若くはない。再就職の道はない。旅行なんて、もしかしたらもう一生行けないかもしれない。これで最後と思おう。思い切り楽しんで、そうして本気で覚悟をつけよう。

　覚悟というのは、仕事を選ばないということだ。

　今まで、どこかで見栄を捨てられないでいた。人に言って格好がつく仕事に就きたいと思っていた。

「会社辞めて、へえ、今はあんな仕事なの」

と、言われたくなかった。

でも、もう、いい。人に何と思われようが構わない。どうせ人なんて口ばっかりで、誰も助けてくれやしないのだ。

一流なんて考えない。保険や有給休暇が完備した正社員というのも諦める。働けるならパートでもアルバイトでもいい。深夜勤務も肉体労働も厭《いと》わない。自分にできる仕事があるなら何でもしよう。マンションも売ってしまおう。値は叩かれるかもしれないが、持っていても結局はローンが負担になるだけだ。ひとりで暮らす小さなアパートでいいではないか。オートロックや床暖房がなくたって、十分に暮らしてゆける。ついでに、今まで集めたブランドもののバッグや洋服や靴といったものも、みんなフリーマーケットに出してしまおう。すべてを整理し、すべてをやり直そう。

そうして最後の贅沢として、好きな旅行に行こうと思った。

今までのウサをみんな晴らして、違う国の空気を存分に吸って、そうして別人になって帰って来る。

それはほとんど、やけくそだった。

† 薫

お正月が明けてほっとした。

毎年、元旦だけは自宅で迎えるが、二日三日は泊まり込みで郁夫の実家で過ごすと決まっている。親戚が集まっての新年会があり、その手伝いをさせられるのだ。

結婚当初は、義姉に負けられないという思いもあり、張り切って出掛けていた。料理を作り、運び、次男の嫁として愛想よく接待をし、気分よく見送って、後片付けをする。すべてを終えた頃はいつも真夜中だ。すっかり酔った郁夫はいびきをかいて眠っている。それでも、務めを果たしたという満足感のようなものがあった。

けれど、今は苦痛以外の何物でもない。家族旅行に出かけるとか、今年は薫の実家に行くなどを理由にして、今度こそはパスさせてもらおうと思っていたのだが、それもままならないまま今まで来た。

去年は、夏の終わりには長男の洪太《こうた》も生まれたので「まだ手がかかる」ことを理由に何とか断ろうとしたのだが、その前に「郁夫の長男の顔が見たいって、みんな期待してるのよ」と言われ、気がついたら「わかりました」と、答えていた。

独身の頃のお正月が懐かしい。実家に帰って、母手作りのおせち料理を食べ、コタツに潜り込んでテレビを観ながらだらだら過ごした。そうでなければ、友人と海外旅行に出掛けて思い切り羽を伸ばした。そう言えば、旅行好きの乃梨子と一緒にハワイに行ったこともある。大変な混雑だったし、値段も高かったが、そんなことはおかまいなしだった。

今年も、乃梨子は海外だろうか。郁夫から「どうやら引き抜きにあったらしいよ」と、退職のことを聞かされた時は驚いたが、乃梨子ならさもありなんとすぐに思い直した。いつだって、彼女は仕事に生きる人間なのだ。

寝ていた洪太がぐずり始めた。

ダイニングテーブルの椅子でぼんやりしていた薫は、慌てて立ち上がった。

「起きたんでしゅか、ほーら、抱っこしてあげましゅよ」

胸に抱くと、幼児特有の甘ったるい匂いが鼻をついた。この匂いは、女の機能を刺激する特別な作用を持っている。それだけで、乳首の先がむずむずと反応し、おっぱいが張って来る。

洪太を妊娠したとわかった時、予想外のことだったのでびっくりした。本当に、この年になって授かるなんて、幸運なんだか不運なんだかわからなかった。

正直言えば、産むことを躊躇《ちゅうちょ》した。これでまた何年か育児に時間を取られてしまうんだと思うと……いいや、躊躇したのはそんなことじゃない、今、手にしている大切なものを失わなければならないことを知っていたからだ。

妊娠は、つまり、半年ばかり続いた村山《むらやま》との関係が終わるということだった。

沙絵が小学校に入ったのをきっかけに、薫は再び習いごとを始めた。ワイン教室だ。そこで村山という男と出会った。

昼間の教室だが、男性も何人か参加していた。大概は定年退職を迎えた六十歳過ぎだが、彼は三十代の半ばで、予備校の講師をしていた。

村山は人目を惹くタイプの男ではなかったが、実直そうな印象があり、少し言葉を交わしただけで薫は好感を持った。けれども、それだけのことだった。だから、しばらくして、

「おいしいワインを出すレストランを知ってるんですが、行ってみませんか」

と、誘われた時はびっくりした。

返事は次の教室の時に、ということで即答はしなかったが、その一週間、死ぬほど迷った。会うのはふたりだけだ。出掛けるのは夜だ。ふたりでワインを飲んで食事をする。そこに何の意味もないわけがない。そんなことをしても本当にいいのだろうか。

一時期、恋愛したい、まだ自分が女であることを確かめたい、と、身体の奥から絞り上げられるような願望に包まれたことがある。

けれども、それも過ぎてしまえば、浮気をした夫の郁夫への対抗意識というか、薫を顧みないことへの仕返しのような気持ちだったのだと思う。あれから何年かたち、薫自身、女と自分との折り合いをうまくつけることができるようになっていた。

自分にはもう一生、そんなことは起こらない。恋愛とか、浮気とか、不倫とか、めくるめくセックスとか、あれは女性誌やドラマの中だけのことなのだ、と、納得したはずだった。

なのに……。

「ご一緒させてもらいます」

一週間後、薫は答えていた。

もう一生起こらないと思っていたことがもしかしたら現実になるかもしれない。自分にだってまだ恋愛ができる。女であることをもう一度実感できる。そんなチャンスはもう二度と訪れないかもしれない。目の前には四十歳という年齢が迫っている。四十歳。その響きは、もう女ではなく別の生き物を形容しているように聞こえる。

レストランは、代官山のビルの地下にあった。薄明かりに浮かぶ階段を下りた時から、薫はすでに酔っているように感じた。

村山の勧めるワインは、確かに上等だったが、味はほとんどわからなかった。料理の方も同じだった。どうということのない会話にも、緊張のあまりどこかぎくしゃくしてとんちんかんな答えしか返せず、薫はあまりにも子供じみた自分に辟易《へきえき》した。村山が薫に失望していることも、十分に察せられた。

九時になったのを機に、薫は言った。

「今夜はありがとうございました。本当に、こんなおいしいワインとお料理をすっかりごちそうになってしまって」

「帰るんですか?」

「ええ」

「じゃあ、送りましょう」

村山はあまりにもあっさりと席を立った。そんな彼の態度に、薫は傷つき、深く後悔していた。こんなことなら断ればよかった。結局はみっともない自分を晒《さら》すだけでしかなかった。階段の半ばに差し掛かった時、いきなり抱き竦《すく》められた。一瞬、何が起こったのかわからなかった。

「初めて会った時から好きだった」

村山は早口で言い、素早く唇を重ねて来た。それから容赦なく舌が入り込んで来て、薫は息が詰まりそうになった。

「まだ、帰したくない」

あの時の感覚を何て言えばいいのだろう。背骨が砕けてゆくような、足元が抜け落ちてゆくような、泣きたくなるような、叫びたくなるような。あの瞬間、自分は確かに女を取り戻したのだ。

村山との関係は、その夜から始まった。

十二時過ぎに、恐れと罪の意識に包まれながら家に帰り、寝室のドアを開けると、廊下からの明かりが差し込んで、郁夫がうっすらと目を開けた。

「ただいま。遅くなってごめんなさい」

彼を見ないまま小声で言うと、郁夫は面倒臭そうに寝返った。

「早く寝ろよ」

薫はチェストの中から下着を出し、パジャマと一緒に抱えて、洗面台に向かった。

鏡に、蛍光灯に照らされた自分の顔が映し出されていた。ほとんど化粧がはげて、もう若くない、それどころか、ところどころ老いさえ忍び寄りつつある女の顔が見える。

あれからホテルに入り、シャワーを浴びて、セックスをした。上になったり下になったり、起き上がったり後ろ向きになったり横になったり、舐《な》めたり舐められたり、もう自分には起こらないと思っていたあらゆることをして来た。まだ、あそこにはじんと痺れるような村山の感触が残っている。

こんな私に、村山は「好きだ」と何度も囁《ささや》いた。こんなふうになりたかったとも、毎日あなたのことばかり考えていた、とも。

家ではすっぴんで髪を振り乱して沙絵を叱《しか》っている私に、自転車の前と後ろの籠《かご》にマーケットの特売セールの商品を入れて必死な形相でペダルを漕《こ》ぐ私に、普段は縫い目がほつれたブラジャーを平気でしている私に、夫から見向きもされなくなった私に、女であることを忘れていた私に、そんなことを言う男が現れるなんて信じられなかった。

けれども、村山の唇は確かにそう動いたのだ。

まさか、というラインを飛び越えてしまえば後は簡単だった。週一回のワイン教室の帰り、ホテルで落ち合って一、二時間ばかりを過ごす。予備校の講師をしている村山は、時間的に融通が利き、夕方までには家に帰ることができる。

こうなってみて、自分でも驚くぐらい、薫は毎日が楽しくなった。ちょっとしたことでキリキリしていたことも、掃除や洗濯、料理や後片付けといった面倒でたまらなかった家事も、さほど億劫《おっくう》ではなくなった。実際、沙絵から「ママ、やさしくなったね」と、不思議そうな顔をされたこともある。

恋、と呼んでいいのかわからなかった。ただ、自分に必要だったのは、結局のところ、こういうことだったのだと思う。華やいだ気持ち、浮き立つ気分。後ろめたさがないことはないが、今の自分を肯定するためならどんな言い訳でもできた。

「ほんの少しの間のことだから」

「郁夫が私に無関心なのがいけないのよ」

「主婦が誰かを好きになってはいけないの？」

今は、郁夫の気持ちもわかるような気がした。小さな浮気を繰り返しながら、郁夫もまた、仕事や家庭への鬱憤を晴らして来たのだろう。

けれども、すべてが自分の思惑どおりに運ぶわけではない、ということを、それから半年ほどして、薫は思い知らされることになった。

いつもの逢瀬の日、村山が臨時講師を引き受けなければならなくなり、会えないとの連絡が入った。仕方ないことだと諦めながらも、その夜、どうにも身体がセックスを求めてならず、薫は思わず、郁夫に言っていた。

「ねえ、そっち行っていい？」

郁夫は驚いたようだった。前にしたのがいつだったか思い出せないくらいの期間があり、もしかしたらもう一生自分たちはセックスしないかもしれないという気がしていた。それでも、郁夫にも引け目のようなものがあったのだろう。いつにない優しい声で「来いよ」と、言った。その、たまたまのような一度で、妊娠したのだ。

病院でそれを告げられた時、いちばん最初に考えたのは、産むという選択は、つまり村山との別れを意味している、ということだった。

村山は避妊に関して几帳面《きちょうめん》だった。だから村山の子であるはずはないということは、はじめから承知していた。

村山の存在は大きい。彼がいたからこの半年ばかり、不満と愚痴と投げ遣《や》りな気持ちで埋め尽くされていた毎日を捨てることができたのだ。彼を失いたくない。あの毎日にまた戻りたくない。

いったんは堕胎を考えた。

それでも、すでに変わり始めている自分の身体に、たとえば好きなコーヒーがまったく飲めなくなったというような変化に、まだ細胞のような存在の生命に「生きている」ことを主張されているような気がした。

村山とは、いつか別れるだろう。彼にもまた妻と子供がいて、離婚など考えてもいないことはわかっている。もちろん薫も同じだ。郁夫と離婚したいと思っているわけではない。すべてを捨てて村山と一緒になりたいなどという気持ちはない。

もし、郁夫がもっと優しくしてくれたら、思いやりを持ってくれたら、私を構ってくれたら、きっと、村山に心惹かれることなどなかった。

そうなのだ、結局のところ、村山は郁夫の代わりなのだ。

たとえ村山を失っても、もう前と同じ生活に戻るわけじゃない。

そのことに、薫はようやく気がついた。

自分がいなければ生きてはゆけない存在が生まれてくるのだから。


乃梨子から封書が届いたのは、三月も半ばを過ぎた頃だった。

美しいペイズリー模様の封筒を開くと、同じ柄の便箋《びんせん》に少し右上がりの几帳面な字が並んでいた。懐かしい乃梨子の筆跡だった。

『お元気ですか。今年は年賀状を出さず、本当にごめんなさい。実はすっかり落ち込んでいて、書く気にもなれなかったのです。ご主人から何と聞いてるかわからないけれど、去年、会社を辞めました。でも、予定していた転職はうまくいかず、結局、アテのないままの退職となりました。お正月の間はずっと、これから先を考えて絶望的な気分になり、鬱々としていたのです。その上、薫から子供が誕生したという写真付きの幸せそうな年賀状が届き、私の今までの人生はいったい何だったんだろう、などと真剣に考えてしまいました。けれども、そういった憂鬱さをいっさいふっ切り、新たな一歩を踏み出そうと、大好きな旅行に行くことにしました。なあんて、ただ単にやけくそな気分だっただけなんですけどね。行ったのはイタリアです。このレターセットはフィレンツェで買いました。なかなか素敵でしょう？でも、やっぱり行ってよかった。人生ってわからないものです。この旅行がきっかけとなって、また新たな展開が開けて来たのですから。大丈夫です。私は何とか頑張ってます。というわけで、どうぞご主人にもよろしくお伝えください。薫も今は子育てで大変でしょうが、また落ち着いたら食事でもしませんか？』

薫は手紙を手にしたまま、しばらくぼんやりした。

今まで、子供の写真を載せるなんて、親馬鹿丸出しのことなんかできないと思っていた。なのに、今年に限ってそれをやったのは、

「自分の選択に間違いはない。こんなに可愛い男の子に恵まれたのだから、すべてはこれでよかったのだ」

と、自分に確認したかったからだ。

洪太は可愛い。それは本当だ。この子を産んで本当によかったと思っている。

それでも、胸の中に暗くぽっかりとした寂しさがある。これはいったい、いつ埋まるのだ

ろう。何によって、誰によって埋められるのだろう。

薫は洪太を抱き締めた。

† 乃梨子

開き直ることも必要だと、乃梨子は今になってつくづく思う。

仕事をなくし、先行きの不安にかられ、もうどうすることもできないと悲嘆にくれているばかりでは、こんな展開には結びつかなかっただろう。

無理をしてでも旅行に出掛けてよかった。出掛ける前は、まさかこんなことになるとは思いもしなかったが、人生なんてそんなものかもしれない。

イタリア旅行には、乃梨子より五歳ばかり年下の今村由樹《いまむらゆき》という女性ツアーコンダクターが同行した。

女性グループが三組、若いカップルと熟年カップルがひと組ずつで、ひとり旅は乃梨子だけということもあり、彼女と何かと話をする機会が多くなった。

その中で、意外な繋がりが見つかった。

「えっ、あのディナーショー、篠田さんが企画したんですか。私、行ったんですよ」

と、由樹は興奮気味に言った。

横浜支社で初めて手掛けた、ジェンダー問題に詳しい女性大学教授のディナーショーのことだ。企画は失敗し、あれがきっかけとなったようにケチ続きとなって、ついにリストラで退職という道を辿《たど》ることになった。

「やだ、そうなの。ごめんなさいね、最悪だったでしょう」

乃梨子は苦笑しながら答えた。

「確かに、お客の入りも悪かったし、あの講師の大学教授もちょっと高慢でしたよね。テレビではあんなに感じがいいのに、なんて思いましたもん。でも私、企画自体はすごく面白いなぁって思ってたんです」

「そう？」

ちょっと気分をよくして、乃梨子は由樹を見た。

「それで、私もそれを真似して、旅行のツアーにそういったことを取り入れられないかなぁとずっと考えていたんです。たとえば単なる観光旅行じゃなくて、その旅行の目的に合ったゲストを招いて一緒に回るというような」

「そういうのって、もうあちこちやってるんじゃない？」

「そうなんですけど、それって結構、大掛かりのツアーになるんですよね。やたらギャラばかり高い有名人とか芸能人ばっかりで、むしろ、その人に会いたいための旅行ってことになるのが多いんです。でも、それってちょっと違うと思うんです。私は特に、大人の女性をターゲットに絞りたいんです。ひとりでも気持ちよく参加できて、知的な感覚で、その上、癒《いや》されるっていうような。たとえば、有名な小説の舞台になった地を、それに詳しい評論家の話を聞きながら回るというような」

「なるほどね」

「うちは小さな旅行代理店ですから、そういった個性的な企画を打ち出さないと、大手に負けてしまうんです」

「その企画、上司はどう反応した？」

「そこまで手は回らないって、あっさり却下されました。たとえばゲストをどうやって選ぶか、スケジュールをどう取り決めるか、ギャラの交渉はどうするか、なんて言われると私もいったいどうしていいやらわからなくて」

「それくらい、難しいことじゃないわ」

「そうなんですか？」

「前に広告代理店に勤めてたから、そういうことばっかりやってたの」

「ああ」

「大丈夫、それくらいあなたにだってできるわよ。あなたの企画、面白いと思うわ。もし、そういうツアーがあったら、私も参加してみたいもの」

その時はそこまでの話で、旅行も終えて帰国した。

帰国して最初にしたことは、マンションの販売元の不動産会社に売却の相談に行くことだった。

「今のご時勢、中古マンションはなかなか難しいんですよね」

営業マンが気の毒そうな目で答えた。

もちろん、すぐに買い手がつくわけがないことぐらい覚悟していた。値段もきっと叩かれるだろう。それでも、後は不動産屋に任すしかない。

乃梨子は近所のコンビニで時給八百五十円、深夜だと九百五十円になるアルバイトを始めた。賞味期限が切れると、あっさり廃棄処分になる弁当を持ち帰って食べるのに、自尊心を持ち出したのは最初の一回目だけだった。とにかく今は倹約だ。一円たりとも無駄にはできないという気持ちだった。

そんな生活がひと月ほど続いた頃、一本の電話を受けた。今村由樹からだった。

「篠田さん、力を貸していただけませんか？」

「何のことかしら」

「やっと上司からGOサインをもらったんです。ほら、ゲストを招いての、女性のための知的で心癒されるツアーの話です」

「ああ」

「そんなに言うなら一度試してみろって言われたんです。でも、私ひとりじゃとても実現できません。篠田さんの経験と人脈をお借りしたいんです。もちろん、アドバイザーとしてちゃんとギャラをお払いします。このところは上司からも了承を得てます。お願いできませんか」

乃梨子はしばらくぼんやりした。頭が仕事からすっかり離れてしまっていて、すぐに反応できなかった。

「篠田さん？」

その声に我に返った。それから、ゆっくりとした口調で答えた。

「喜んで引き受けさせてもらいます」

薫への手紙にも書いたが、やっぱり人生ってわからないものだと思う。旅行から帰ってひと月後に、こんな展開が待っているとは想像もしてなかった。

とにかく、仕事として受けた以上は、とことんやりたい。

由樹と組んだ最初のツアーは『台湾お茶めぐり』だ。美しく健やかに、というのがテーマであり、悩んだ挙げ句、ゲストに美容研究家を招いた。テレビにこそ顔はあまり出さないが、女性誌では常連のアドバイザーだ。お茶についての知識も深く、オリジナルブレンドのお茶をポットに入れていつも持ち歩いているという。

それから乃梨子は広告代理店勤めの経験を生かし、女性誌への売り込みに出向いた。こんなユニークなツアーがある、と取り上げてもらえれば、必ず客からの反応があるに違いないと踏んだからだ。かつて知り合いだった女性誌の編集者も、今ではそれなりの立場を手にするようになっていた。事情を話し、何とか三社からの協力を取り付けた。

それからしばらくして、ある女性誌から「取材したい」との連絡が入って驚いた。その女性誌は売上部数は常に一位を誇り、毎年誌上で行なわれる『好きな男嫌いな男ベスト1』という企画は、その年のタレントの人気を決定づけるほどの力を持っていた。乃梨子も何度か足を運んだが、門前払いを食わされていた。そこからの依頼である。取り上げてもらえれば、注目度も跳ね上がる。

その取材が、実は近藤文雄の声掛かりだったということを知ったのは、編集者との雑談の中でだった。

「近藤さんも、なかなか大変みたいですね」

その時、初めて気がついた。そう言えば、かつて近藤はその雑誌とよく組んでイベントを催していた。たとえば、トレッキングシューズ会社をスポンサーに、女性のためのアウトドア教室を開催する、というように。

近藤とは気まずい別れ方をしていた。「失脚した」と聞いた時は、思わず「約束が違う！」と、激しく詰《なじ》った。今なら、近藤がどんなに危機的な状況に陥っていたかわかるが、あの時は乃梨子も必死だった。

その日、迷ったものの、乃梨子は近藤の携帯に連絡を入れた。

「お気遣いありがとうございました」

「何のことだろう」

近藤の声は変わらない。

「感謝してます。あの女性誌で取り上げてもらえたら、きっと反応も大きいと思います」

近藤は少し言葉を途切れさせた。

「ちょっと話を聞いたものでね」

「助かりました」

「ずっと、君にはすまないことをしたと思っていたんだ」

「いえ、そのことはもう」

「私にできることはこれくらいだ」

「近藤さん……」

「申し訳ない。まったく、落ちぶれたもんだよ、私も」

近藤は力ない声で笑った。今は社史編纂室《へんさんしつ》にいるという。

どんな言葉を返せばいいのかわからなかった。ただ、近藤に対する怒りはもう消えていた。

彼だって、今は追い詰められたサラリーマンのひとりなのだ。

そうして、乃梨子は乃梨子で、どうにもならないと思っていた人生の中で、新たな始まりを感じていた。

仕事をする。

やはり自分にはこんな緊張感が必要なのだと思っていた。

『台湾お茶めぐり』ツアーは、募集人員二十名のところに、百名近くの申し込みがあった。由樹の会社の上司は、今が儲《もう》け時と、人数を大幅に増やしてツアーを組みたいようだったが、乃梨子はガンとして反対した。

それでは本来の目的から離れてしまう。参加できない客たちの渇望感をそそるのも、ひとつの戦略だ。イメージも大切だし、リピーターたちも期待したい。ということで、まったく別の企画も同時進行させることにした。

今度は『ボルネオ島でオランウータンと戯れる』という企画だった。絶滅に近いオランウータンのために、参加費用の一部を、保護のために寄付するという、わずかながらもボランティアの精神も組み込んだ。ゲストは、動物園の飼育士だ。少し冒険が過ぎたかと思われたが、それも参加者は募集人数を超えた。

三回目の企画を考え始めた頃、由樹から改まった相談を受けた。

「篠田さん、私、ずっと考えていたんですけど」

「何?」

「この際、一緒に独立しませんか?」

思いがけない言葉に、乃梨子は由樹の顔を見返した。

「独立して、トラベルアドバイザーの会社を作りませんか？」

「どうしたの急に？」

「私、今の企画をもっともっと広めたいと思ってるんです。でも、会社側は、学校の修学旅行を取ってこいとか、会社の社員旅行を何とかしろとか、不本意な仕事もたくさん押しつけてくるんです。もちろん、私は会社員なのだからそれは仕方ないと思います。でも、やっぱり人って、好きなことを仕事にしたいじゃないですか。好きなことのためなら頑張れるじゃないですか。篠田さんさえその気があるなら、私、会社を辞めてもいいと思ってます。思い切って独立して、ふたりで会社を起こしませんか？　それで、契約という形で、いろんな旅行会社に企画を提供するっていうような仕事をしませんか？」

乃梨子は由樹を眺めた。

リストラにあい、仕事をなくした。今までは、どこかの会社に勤めるという方法でしか、自分の力を発揮する方法を知らなかった。でも確かにそうだ。そうでない仕事の仕方もあるのだ。

自分で会社を起こす。

だからと言って、そう簡単に決心できることではない。

「少し、考えさせて」

と、その時は即答せず、猶予をもらうことにした。

それから、乃梨子は考えを巡らせた。

そんなことが果たして私にできるだろうか。

確かに、旅行は昔から好きだった。その好きなことを仕事にできるというのは、幸運なことだと思う。今までの広告代理店勤めとも繋がりがあり、キャリアも生かせる。

ここ何ヵ月かの間で、由樹という人間の人柄も知るようになっていた。彼女は堅実で、仕事に対する姿勢も真摯《しんし》だ。会社側が、大人数のツアーに変更しようとした時も、乃梨子側に立ち、必死に説得した。もしかしたら、あの件で会社に居づらくなったということもあるのかもしれない。

実は、乃梨子のところにもツアーの評判を聞き付けて、他の旅行会社から「うちでもやってみないか」という話が来ていた。

これはもともと由樹から始まった仕事だ。由樹への恩義もある。他社で同じことをするなどという気持ちはまったくなかった。けれども、独立して会社を作るとなれば別だ。もっと面白い、もっと女性たちを惹きつけられるアイデアを幅広く作り出してゆけそうな気がする。

でも、もし失敗したら？　会社なんて作って、倒産して、負債を背負うようなことになったら？

誰かに相談したかった。力強い、そうして現実的なアドバイスが欲しかった。もう近藤というわけにはいかない。となると、思いつく人物はひとりしかいなかった。

翌日、乃梨子は郁夫に連絡を入れた。相談に乗って欲しいことがある、と言うと、いくらか戸惑ったような返事はあったが、それは迷惑がっているわけではなくて、むしろ郁夫らしい謙虚さだった。

「俺なんかでいいのか?」

「お願い」

二日後、久しぶりに顔を合わせた。郁夫は少しも変わらない。挨拶もそこそこにその話をすると、郁夫はさすがに驚いたようだった。

「薫から、何か新しいことを始めたらしいとは聞いていたけど、まさか、会社を設立しようなんてところまで話が進んでるとはね」

「どう思う?」

かつて、よく通った居酒屋でこうしてふたりで並んで飲んでいると、家族に会ったような懐かしさと安心感が広がった。

しばらく郁夫は考え込んでいたが、やがてゆっくりと顔を向けた。

「今、俺がどんな気持ちでいるか、わかるかい?」

「無謀だと思ってる?」

「いいや逆だ、羨ましいんだよ。サラリーマンをやっていて時々痛感するんだ。結局、俺は会社の備品みたいなものなんだろうなって。使える時だけ使われて、使えなくなったらお払い箱さ。短い人生だ、好きなことをやれるのなら、それをやるのがいいに決まってる」

「リスクがあっても？」

「会社勤めをしていたって同じさ。もう一生安泰なんて時代じゃないんだから」

「そうね……」

「頑張れよ」

郁夫はいくらか声音を硬くして言った。

「君がリストラにあった時、何とかする、なんて言いながら、何の力にもなれなかったことをずっと後ろめたく思ってたんだ。何か、俺にできることがあったら言ってくれ。できる限り、協力させてもらうよ」

乃梨子は郁夫を見つめた。

「ありがとう、そう言ってもらえるだけで、どれだけ心強いか」

決心はついた。どうせ、守るべきものなど、今の自分には何もないのだ。

そして、それから半年後、乃梨子は由樹と共に会社を設立した。

age.42

† 薫

娘の沙絵は今年十二歳になり、中学校に進学した。

お受験には苦労したし、学費は今も大変だが、大学までエスカレーター式の私学に入学させて、本当によかったと思う。学級崩壊や登校拒否、引き籠《こ》もり、援助交際と、ため息が出るような話題ばかりが続いている世の中で、沙絵を見る限り、優しく素直な子に育ってくれている。

下の洪太は三歳で、今が可愛い盛りだ。

世の中の母親は、そろそろ子育てから解放されて、自分の時間を楽しみたいと望むらしいが、薫は逆だった。習いごとも、奥様仲間とのランチももういい。今は、子育てが楽しくてしょうがなかった。

沙絵を妊娠し出産した時、嬉しかったのは確かだが、気持ちにゆとりがなかった。愛そうにもどこか自信がなくて、むしろ責任や義務という思いの方が先に立った。同い年くらいの子供を見ると、つい、その子より遅れているのではないかと悩み、ちょっと熱を出しただけでも重い病気にかかったのではないかとハラハラした。毎日、育児書を読み耽《ふけ》りながら、不安と戦っていた。実際、アトピーや小児喘息《ぜんそく》に悩まされた日々もあり、子育てを楽しむ余裕などまるでなかった。

ところが、洪太の場合は何事においても大らかに受け止められる。少しぐらい身体が小さくても、言葉が遅くても、人それぞれと割り切ることができる。そんなふうに接しているせいか、洪太はいかにも子供らしい天真爛漫《らんまん》さに溢れていた。

もうひとつ、同じ子供といえども、やはり女の子と男の子とでは母親としての思いも微妙に変わるということを知った。沙絵より洪太の方が可愛いなどということは決してない。ただ、どことなく違うのだ。娘は自分の分身のように感じるが、息子はどこか恋人に対する思いと似ている。

今からこんなふうじゃ将来困ると思いながらも、テレビに映る小生意気そうなアイドルを観て、こんな子を恋人だと言って連れて来たりしたらどうしようと思ってしまう。

とにかく、今は洪太とこうしてべったりと過ごせるあと五、六年の期間を、心ゆくまで楽しみたいと思っていた。

郁夫は昨年、部長に出世した。

同期の中にはリストラされたり、子会社に出向させられたり、退職を勧告されたりと、浮き沈みがはっきり分かれる年代となっていた。

もともと、仕事はできるし人当たりはよく、押しもきく郁夫だ、出世するに違いないと踏んでいたが、まさかこんなに早く部長のポジションを手に入れられるとは思ってもみなかった。

次は役員だ。もちろん、高望みするつもりはないが、内心、期待していないわけでもない。

昇進をきっかけに、家もリフォームした。

二階にひと部屋増築し、一階はリビングを広げ、キッチンや風呂場といった水回りを総替えした。床暖房も設置した。出費は嵩《かさ》んだが、暮らすにはずいぶんと快適になった。ローンもうまく完済することができ、借金がない分、気持ちも楽になった。みんな郁夫のおかげだと感謝している。

先日、遊びに来た義姉に「おたくは羽振りがいいのねえ」と、皮肉られてしまったが、あまり気にしないようにしていた。

三年ほど前、郁夫の実家を二世帯住宅に建て直して、義兄家族が同居するようになっていた。建築の資金は両親と義兄夫婦で折半した。あの時は、あちらの家の方がぴかぴかに輝いていた。

けれども、義兄はそれから一年もたたないうちに、再び地方に飛ばされた。今度は、明らかに左遷を意味する異動ということだった。もしかしたら定年まで東京には戻れない可能性もあるという。

その上、最近、義父に少々惚《ぼ》けの症状が見られるようになっていた。義母の方も、膝が痛い腰が痛いと、老いが目前に迫っていることを意識せざるを得ない状態だ。家を建て直す時、郁夫が財産分与の権利を放棄したことで、義父母の面倒は長男夫婦がみるという約束ができていた。もちろん、次男の嫁として薫も自分にできることはするつもりだが、すべてが身にかかる義姉の悦子とは立場が違い、お手伝い程度のことで許される。あの時は、放棄したことで損したような気分になったが、今はつくづくそうしておいてよかったと思っている。義姉が憂鬱な気分になるのも仕方ない。それを思うと、嫌味ぐらい我慢してあげようと思う。

とにかく今は、毎日が穏やかで平和で幸福だった。郁夫との夫婦関係も、なんだかんだ言いながらも、凪《なぎ》のような状態に収まっている。浮気の気配も、さすがに最近はほとんど感じられなくなっていた。

こんな生活がこれからも続いてくれることを祈るばかりだ。


そして今日、薫は四十二歳の誕生日を迎えた。

何て言えばいいのだろう、悲しいとかがっかりするというより、ただただ驚いてしまった。自分に四十二歳という年齢がやって来るなんて、若い頃には想像もしていなかった。

そうして、こうなってみると、かつて自分が想像していた四十二歳とは、あまりにもかけ離れていることに、ため息が出る。

若い頃、四十二歳なんてものすごい大人だと思っていた。落ち着きが備わり、小さなことでカッカしたりせず、何事も鷹揚に対処でき、人生を達観している。

ぜんぜん違っていた。大人になったのは年だけで、頭の中身はほとんど若い頃と変わらない自分がここにいる。

けれど、もうひとつ矛盾した思いもある。若い頃四十二歳の女なんて、ただのおばさんだと思っていた。伸び切ったウエストのゴムそのままに、色恋なんてものとはとうに縁を切り、繊細な心などとっくになくし、自分が女であることすらも忘れてしまっている。図々しくて、羞恥心《しゅうちしん》がなく、自分の言葉が人を傷つけることもわからない、厚顔無恥そのままのおばさん。

けれど、そのすべてをまだ決して失っていない自分を感じてもいる。確かに、電車では席に座りたいと思うし、スーパーの売出しの日は少しでも安くていいものを買いたくて列にも並ぶ。でも、心の中では、「まだ私だって」という思いがないわけではない。もう少しお洒落をすれば、もう少し痩せれば、エステにでも行けば、時間があれば、まだ私だって。

けれども、そんなことを思うこと自体が、もしかしたら「おばさん」になっている証拠なのかもしれない。

郁夫の方は四十六歳になった。

髪が少し薄くなり、おなかもいくらか出てきたようだ。人から見れば、郁夫もりっぱなおじさんなのだろう。

結婚して十五年がたったことになる。水晶婚式と呼ばれるらしい。その月日にも、思わずため息が出る。

ここまでよく来たな、という思いと、まだ先は長い、という思いが、胸の中でうず巻いている。

これから二十年、二十五年、三十年。もし死ぬまで郁夫と一緒だとしたら、それは果たして幸せなことなのだろうか。それとも、不幸と呼ぶべきことなのだろうか。

それから数日後、思いがけず乃梨子から封書が届いた。

中には『オフィス・篠田、オープン記念パーティ』の招待状と、短い手紙が入っていた。

『お元気ですか。このたび、自分の事務所を持つことになりました。ささやかではありますが、お世話になった方々にお礼の気持ちを込めて、パーティを催したいと思います。薫もぜひ、ご主人と一緒に出席してね。待ってます』

びっくりした。

三年ほど前、乃梨子が知り合いの女性と組んで、トラベルアドバイザーという仕事を始めたことは知っていた。旅行会社と契約して、独自の旅行プランを立てて提供する、という仕事らしいが、まさか会社を設立するほどになるとは思ってもみなかった。

夜、帰宅した郁夫にそのことを言うと、スーツを脱ぎながらあまり興味なさそうな返事があった。

「ふうん、自分の事務所をね」

「ねえ、何を着て行ったらいいと思う？」

「行くつもりなのか？」

郁夫の言葉に、薫は呆れながら答えた。

「当たり前じゃない。友達なのよ、お祝いしてあげなくちゃ」

薫はスーツをハンガーに掛ける。

「それにしても、会社を起こすなんてすごいわよね。社長になるってことなんだもの」

郁夫はパジャマに着替えた。

「別にすごかないさ。会社なんて設立するのは簡単だよ、ちょっと資金があって、書類さえ提出すれば、誰でも社長になれる。大変なのはこれからさ。ベンチャービジネスとして注目されながら、つぶれていった会社なんて数え切れないくらいあるんだから」

「でしょうけど、そういうリスクがあっても思い切ってやってしまうっていうのがすごいじゃない。乃梨子にそこまで度胸があるなんて思ってもみなかったわ」

「まあな」

「ふたりで喜んで出席させていただきますって、返事を出しておいたから」

「ふたりって、俺も？」

「もちろんでしょう。知らない間柄じゃないんだし、手紙にも一緒にって書いてあったもの。もう返事、出しちゃったんだからお願いよ」

「風呂に入る」

「下着とタオルは出してありますから」

「ああ」

郁夫はどういうわけか、少し不機嫌になっていた。出世はしているが、所詮サラリーマンとしてしか生きていない立場としては、かつて同僚だった乃梨子が独立してゆくのを見るのは、複雑な気持ちがあるのかもしれない。

正直に言えば、薫だってそうだ。

乃梨子の成功を祝いたいし、応援したい気持ちはもちろんある。けれど、どこかでやっかむ思いがあることも否めない。

乃梨子が失敗すればいいなんて思っていない。そこまで自分はさもしい人間じゃない。ただ、少しで構わないから、自分も乃梨子に羨ましがられる存在でありたいと思うのだ。

自分にあって、乃梨子にないもの。

それはやはり結婚になるのだろうか。夫と子供がいる生活。妻として母として生きる喜び。

乃梨子の仕事と、薫の家庭。それらを同じ天秤《てんびん》に載せようとするのは無理がある。そのふたつはまったく次元の違うものだ。それでも、いいやそれだからこそ、お互いに羨むことができるようにも思える。

そうよ、私には家庭がある、夫がいる、子供たちがいるじゃない。

郁夫のスーツをクローゼットにしまい、薫は洪太の部屋へ寝顔を見に行った。すやすやと眠る姿は、本当に天使のように愛らしく、思わず頰に口づけした。

「私は幸せよ」

声に出して言ってみた。本当にそうだと思った。私は幸せだ。この幸せを否定できる人間など、この世の中にひとりもいるはずがない。


パーティは青山のレストランを借り切って行なわれた。

思ったよりずっと参加者が多く、華やかだったので驚いた。こんな会に出たことなどないので、どうにも気後れしてしまい、薫はぴったりと郁夫に寄り添っていた。

会場の一角に乃梨子を見つけた。

乃梨子は黒っぽいシルクのパンツスーツをセンスよく着こなし、満面に笑みを浮かべながら、来客たちに挨拶していた。

綺麗だ。それに、びっくりするほど若かった。前に会った時よりも若くなっているように見えた。もしかしたら美容整形でもしたのではないかと勘繰ったほどだ。薫もそれなりのお洒落をして来たし、この中でもさほど見劣りしているとも思えないが、たぶん、ふたりが同い年とは誰も思わないだろう。

どんなに気合いを入れても、ちんまりとした家の中で一日のほとんどを過ごしている薫と、社会の中を刺激的に泳いでいる乃梨子とでは、差がつくのは仕方ないように思えた。

ようやく薫に気づいて、乃梨子が駆け寄って来た。

「来てくれたのね、ありがとう、嬉しいわ」

そう言って、乃梨子は薫と郁夫を交互に眺めた。

「おめでとう。すごいわね、会社を起こすなんてびっくりよ」

眩しいような思いで、薫は乃梨子を眺めた。

「すごくなんかないわ、本当のところは、やむにやまれずだったの」

乃梨子は肩をすくめた。

「ここ三年ほど一緒に仕事をして来た女性がいたんだけど、色々と意見が合わなくなってしまってね。結局、そこを出たのよ。もう人の下で働くのはしんどいし、この際、えーいって気持ちで独立したわけ。知り合いの中に力になってくれる人もいたりしたものだから助かったわ」

「よかったわね」

「この三年の間に、独学で一般・国内旅行業務取扱管理者と通訳案内業、旅程管理主任者資格も取ったのよ。勉強はつらかったけど」

「乃梨子もいろいろと大変なんだ」

「そうよ、大変なんだから。私なんて所詮はひとり身でしょ、結局、仕事で生きるしかないんだもの、必死よ」

「そんなことはないんじゃないの」

「ううん、そうなの。本音を言えば、誰かに頼れたらって思うわ。薫みたいに、こんな素敵なダンナ様に守られ、可愛い子供たちに囲まれて生きてゆけたらなんてね」

「よく言うわ」

「あら、ほんとよ、ほんとに私、羨ましいんだから」

羨ましいと言われたいと思っていた。その通りのことを乃梨子は言った。けれど、薫は少しも嬉しくなかった。むしろ「そう言っておけば満足なんでしょう」と、侮られているように感じた。

「まあ、やっぱり家族ほどかけがえのないものはないから」

と、薫はゆったりとした笑みを返した。

私は幸せよ、幸せに決まっているじゃない。乃梨子のように仕事に生きるのもいいけれど、子供を育てるのもそれに勝るとも劣らない価値のある仕事だと思ってるわ。社長の代わりはいても、母親の代わりはないんだもの。本当に自分を必要とされるって、こういうことなんだと思うわ。ええ、私は幸せよ。女として、母親として、充実した毎日を送っているわ。

そのすべてを、笑顔に込めたつもりだが、乃梨子にちゃんと伝わっているかは自信がなかった。

†乃梨子

オープニングパーティの後、乃梨子は会場近くのカウンターバーのスツールに、気が抜けたように座っていた。

とにかく、無事に終えてほっとした。今までお世話になった方々、これから仕事をしてゆく取引先、いずれ仕事をしたいと考えている顧客、たくさんの人が出席してくれたことは本当に嬉しく思っている。

けれども、すべてはこれから始まるのだ。今夜のパーティは、その第一歩でしかない。

乃梨子自身、まさか新たに自分で会社を起こすようなことになるとは想像もしていなかった。この三年間、とにかく無我夢中だった。必死になって勉強し、仕事を覚え、頭を下げて営業に回り、知恵を絞ってアイデアを出してきた。

会社を辞めさせられ、アテにしていた再就職は叶わず、マンションも手放さなければならないような状況だったあの時。それでも食べてゆかねばならない。生きてゆかねばならない。

そんな時、やけで出掛けたイタリア旅行で、ツアーコンダクターの今村由樹と知り合った。それが、今に続くすべてのきっかけとなった。

由樹には感謝している。由樹と出会わなければ、トラベルアドバイザーなどという仕事があることすら、頭に浮かばなかっただろう。一緒に仕事をするようになったおかげで、マンションも手放さずに済んだし、職探しからも解放された。旅行業務と事務に詳しい由樹と、企画や宣伝に力が発揮できる乃梨子は、互いに力強いパートナーだった。

けれども、共同経営というのはやはり難しい。仕事が軌道に乗り始めると、ふたりの意見は少しずつ食い違うようになっていった。乃梨子は今まで対象としてきたシングル女性ばかりでなく、第二の人生を歩き始めた年配層を狙ってゆきたいと考えていた。高齢化社会は進む一方で、狙わない手はないはずだ。しかし、由樹の方は、若いカップルやハネムーンに興味が向いていた。海外のどこででも結婚式を挙げられる、たとえばタヒチの水上コテージやギリシャの神殿跡、そんな夢を持っていた。

そのことを互いに批判するつもりはなく、分担して企画をたてればいいだけのことだと思っていた。けれども……やっぱり女同士ということが原因になるのかもしれない……ひとりの男の出現で、そこにどうしようもない亀裂が入ってしまった。

大手広告代理店勤務のその男は、三十代後半のなかなかのやり手だった。うちの仕事を取り扱いたいということで、事務所に出入りするようになった。その職業の男にありがちな、口も巧《うま》いが手も早く、由樹は知り合ってすぐ男と親しくなった。もちろん男には妻子があり、乃梨子から見ればいいように利用されているとしか思えないのだが、気がついた時には、由樹はすっかり骨抜きにされていた。かつて、自分も広告代理店に勤めていた乃梨子は、その手の男をいやというほど見てきている。やんわり忠告すると、由樹はみるみる態度を硬化させた。

由樹曰《いわ》く「私たちに嫉妬してるんですか」ということだった。

びっくりした。まさかそんな言われ方をするとは思ってもみなかった。

やがて、男は仕事に関しても口を挟むようになっていた。

ふたりでこの仕事を始めたばかりの頃、企画を依頼してくれた旅行社があった。小さな旅行社だが、何本か続けて仕事をさせてもらった。まだ依頼がほとんどなく、収入もぎりぎりで、その会社のおかげでどれだけ助かったかわからない。なのに、由樹はその旅行社とはもう付き合わないと言い出したのだ。

「だって、企画料は安いし、いつつぶれるかわからないような会社でしょう」

「恩があるじゃないの、忘れたの？」

「もう、十分に返したじゃないですか。それに恩だなんて、あれはビジネスです。とにかく、あんな小さな旅行社と組むよりもっと大手と組んだ方が、同じ企画に手間をかけるにしたって料金も注目度もまったく違うわけだから」

「有名タレントをゲストに迎えるツアーってあれ？　そういうのは違うって、あなた、前に言ってたじゃない」

「でも、せっかく大手から依頼が来てるんですよ、綺麗事ばかり言ってられないと思うんです」

「あれは綺麗事だったの？　夢だったんじゃなかったの？」

由樹は黙った。

「大手と組むのを反対してるわけじゃないわ。でも、それで小さい会社との付き合いをやめるって何か違うと思うの。大手なんてね、口ではうまいこと言っていても、ある日突然、ばっさり切るんだから。そういう薄情さがあるんだから」

「でも、これはチャンスだからって」

乃梨子は由樹を見た。

「と、あの男が言ったわけね」

一瞬、由樹は口籠もったが、次に乃梨子を見た時、その目は明らかに男側に立っていた。

「ええ、そうです。私もチャンスだと思っています」

プライベートは仕方ない。もう大人なのだから、後は本人たちの好きなようにやってくれとしか言いようがない。けれど、仕事となれば別だ。ふたりで始めた仕事に、あの男がそこまで介入するのは許せない。

「あなた、誰と組んでいるのかしら」

由樹が黙る。

「あの男と組むなら、私はここから出てゆくしかないわね」

由樹はしばらく黙り、顔を上げないまま答えた。

「篠田さんが望むなら」

そんな反応があるとは予想していなかった。つまり、それが由樹とあの男の思惑なのだと知った。ショックだった。

「望んでいるのはあなたたちなんでしょう。わかったわ、もうそうするしかないわね」

独立の顚末《てんまつ》は、結局はそういうことだ。

そうして、乃梨子は独自に会社を起こし、自分の事務所を持つことになった。

けれど乃梨子ひとりでは、とてもここまではできなかっただろう。事務的手続きから会計士の紹介まで、ありとあらゆる面で力を貸してくれた人がいた。その人の力添えがあってこそ、実現したのだと思っている。

「ブランデーサワー、もう一杯ね」

オーダーしてから、乃梨子は腕時計を見た。

もうすぐその人がここに来る。

感謝の思いを込めて、パーティの後に会う約束をしていた。

ドアが開く気配を感じて、乃梨子は振り返った。その人が立っている。乃梨子は軽く手を上げ、合図した。

「ここよ、笹原さん」

郁夫が少し困ったような顔で頷くのが見えた。


「薫には何て言って来たの？」

「仕事で人と会うって」

郁夫はスコッチのダブルを水割りで飲んでいる。

「そう」

「驚いたよ、まさか、薫のところにまで招待状を出すなんて」

郁夫の言葉に、乃梨子は軽く首をすくめた。

「ごめんなさい。でも古い友達だし、何と言っても、大恩人の奥様なんだもの」

「よしてくれよ」

「本音を言うと、笹原さん、そうでもしなきゃパーティに来てくれないってわかってたから」

「俺は表立つつもりはないんだ」

郁夫がグラスを口に運ぶ。

「私、本当に感謝してるの。独立できたのもみんなあなたのおかげだわ。あなたがいなかったら、たぶん、自分ひとりで会社を起こそうなんて思わなかった。そんな自信も勇気もなかったわ」

「いいや、俺なんかいなくても、君ならやれたさ。俺はほんのちょっとアドバイスしただけのことだ。恩に感じることなんかないんだ」

乃梨子は郁夫の横顔を眺めた。

郁夫とはいったい何年の付き合いになるだろう。二十二歳の時、新入社員として知り合ってからだからもう二十年になる。最初は頼りになる先輩であり、気安く付き合える同僚だった。その気持ちがやがて女としての思いにすり変わったが、郁夫は薫と結婚してしまった。それから乃梨子の転勤があったり、リストラされたりと、さまざまな状況の中で、郁夫は常に先輩として、友人として、的確なアドバイスをくれた。退職に追い込まれた時も、郁夫のせいではないのに「力になれなくてすまなかった」と、頭を下げてくれた。それだけで、どんなに救われたかわからない。

由樹と新しい仕事を始めてからも、頼みごとをすれば大抵のことは力を貸してくれた。もちろん、乃梨子もやみくもに頼ったわけではなく、それなりの節度を持って接してきた。

由樹とうまく行かなくなり、会社を出るべきか迷い始めた時、結局、相談に行ったのは郁夫だった。郁夫は話を聞き、ひとこと言った。

「君ならできるさ」

その時、誰よりも心強い味方を手に入れたように思えて、乃梨子は決心を固めたのだ。

「今日、薫、綺麗だったわね」

「よせよ」

郁夫が苦笑しながら言う。

「あら、本当よ。何て言うのかしら、満ち足りた表情っていうのかな、幸せって字が顔に書いてあったわ」

乃梨子はグラスを目の高さまで持ち上げた。

「隣りの芝生は青く見えるだけさ」

「そうかしら」

「決まってる」

「でも私、あんな幸せもいいなぁって心から思ったわ」

「じゃあ君は、今の仕事を捨てて、薫のような生活に入りたいと思ってるのかい？　毎日、家事と子育てに追われるような。まさか、それはないだろう」

乃梨子はしばらく考えた。それから、ゆっくりと首を縦に振った。

「ええ、そうね、そんな気はないわ」

「だろう」

「確かに、家庭にだけ納まっている主婦になりたいとは思わない。でも、私だって仕事から帰ったら、ほっとできるような家庭が待っていて欲しいという気持ちはあるのよ」

「君ならまだこれからだって結婚できるさ」

「あら、ちょっと引っ掛かるな、その言い方」

「そうかい？」

「まだ、ってところがね。内心、もう無理だと思ってるんでしょう」

「考え過ぎだよ」

乃梨子は同じものをもう一杯オーダーし、ふと、顔を上げた。

「今、わかったわ。私は薫が羨ましいんじゃないの、あなたが羨ましいんだわ。思う存分仕事をして、家に帰れば、お風呂が沸いてて食事の用意がしてあって、洗い立てのパジャマとパリッとしたシーツでしょ、掃除も洗濯もみんな妻がしてくれて、その上、愛しい子供たちもいてくれる」

郁夫が苦笑している。

「よく言うよ」

「だってそうじゃない。帰ればあなたはご主人様なんだから」

「そうでもないさ、飯なんか用意してないことはしょっちゅうだし、風呂だって自分で追い焚《だ》きする。子供は生意気で俺の言うことなんか聞きやしない」

「それでも女だったらそうはいかないわ。そこまでしてくれる結婚相手はなかなかいないわ。働く女たちにとって、家庭は欲しいものではあるけれど、結局、いちばん重荷になるのも家庭なのよ」

「かもしれないな」

「それをみんな引き受けてくれる男が現れたら、私だって結婚したいけど」

「うん」

「でも、さすがにこの年になると、そうそう相手は見つからないし」

「そんなことはないさ」

「いいなぁと思う人は、みんな妻子持ちだし」

「年下って手もあるぞ」

「主夫になってもらうとか？」

「そういう願望の男も増えているっていうし」

「そうね、ちょっと頑張って探してみようかな」

「そうさ、頑張れよ」

そこで二時間ばかり過ごし、外に出た。郁夫はタクシーで乃梨子をマンションまで送り届けてくれた。

降り際、乃梨子は郁夫を振り返った。

「よかったら、うちに寄って行かない？」

さり気なく口にしたセリフだったが、そこには大きなためらいと決心があった。

郁夫の目が戸惑いに満ちてゆく。けれども、それはすぐに、いつもの穏やかな笑みにすり替わった。

「光栄だけど、今夜は遅いからよしておこう」

「そう、じゃあ、おやすみなさい」

あっさりした口調で、乃梨子は答えた。

「うん、おやすみ」

ドアが閉まり、すぐにタクシーは発進した。その赤いテールランプが小さくなってゆくのを見つめながら、乃梨子は唇を嚙んだ。

郁夫は何もかもわかっているはずだ。それなのに、気づかないふりを通そうとしている。それが思いやりと思っているのだろうか。結婚なんて望んでない。薫との生活を壊そうなどとも考えていない。ただ、郁夫と触れ合いたいだけだ。その指に、その唇に、その身体に、触りたいだけなのに。

もう長い間、誰かに心を動かされるようなことはなかった。時には、言い寄られることもあったが、相手は大抵、聞き分けのいい不倫相手を望んでいるだけだった。

それだって、好きならいい。この年になって、結婚できない相手とは恋愛しない、などという頑《かたく》なな気持ちを持っているわけではない。けれど、結婚できないからこそ、本当に好きな男とでなければ無駄な時間を過ごすだけだということも知るようになっていた。

時には、寂しさに身を縛り上げられるような夜もある。そんな時、孤独を癒すために好きでもない男と寝たこともある。けれど、それで残るものは、もっと深い孤独だった。

自分はもう四十二歳になった。女としての時間は、あとどのくらい残されているだろう。誰かに恋をする。そんなチャンスがいったい何度あるだろう。

もう、まがい物で自分を誤魔化せるような年代じゃない。本物しか必要ない。

けれど……もうテールランプは見えなくなったというのに、乃梨子はまだその場に立ち尽くしていた。

どうしても手に入れられないものもある。

どれだけ望んでも、どれだけ欲しても、思いどおりにならないことがある。

乃梨子はようやくマンションに向かって歩き始めた。

薫のことなど、少しも羨ましいと思っていない。主婦としてしか生きられない毎日なんて、考えただけで息苦しくなる。

それでいて、死ぬほど薫を羨んでいる自分がいる。当たり前のように、郁夫と共に生活し、郁夫の子供を産み、郁夫に守られている薫がどうしようもなく羨ましい。

この矛盾に、いったいいつになったら答えを見つけることができるのだろう。この矛盾と、いったいいつまで戦わなければならないのだろう。

マンションの前で、乃梨子はもう一度振り返った。けれど、そこには深い夜しか見えなかった。

† 薫

あのパーティ以来、ずっともやもやしたものが胸の中に燻《くすぶ》っていた。

「そんなことあるはずがない」という思いと「もしかしたら」が交互に薫を揺らしていた。郁夫に対してやけに他人行儀に挨拶した乃梨子や、それに応える郁夫のぶっきら棒さが、却って嘘っぽさを感じさせた。

乃梨子が広告代理店を辞めてからふたりが会ったのは初めて、ということだったが本当だろうか。郁夫は何人かの客たちと顔見知りだった。得意先とか、会計士と挨拶を交わしていたのはなぜだろう。

そんなことを考え始めると、薫の中で、単なる想像でしかなかったものが、少しずつ形になってゆくのを感じた。

若い頃、乃梨子は間違いなく郁夫が好きだった。それを感じたからこそ、薫は牽制《けんせい》するように先に郁夫に思いを打ち明け、結婚にまでこぎつけた。早い話、郁夫を乃梨子から奪ったのだ。あの時、乃梨子はあっさりと引き下がったように見えたが、もしかしたらその恨みを十五年たった今も、胸の中に秘めているのかもしれない。

もし、乃梨子が結婚していたならこんな不安を感じることはなかったろう。同じ女という性を持っていても、結婚した女と独身の女はまったく違う生き物だ。彼女らは、結婚している女に対して、同情と同じだけの嫉妬を持っている。

(毎日、家事や育児に追われ、社会にとり残され、どんどん老け込んでゆく。そんな結婚生活のどこがいいの。まったくお気の毒としか言いようがないわ)

そう思いながら、同時に、

(結婚してるからって何なの、子供を産んだからってどうなの。十人中九人が送るような平凡な暮らしをしているくせに、自分は女としてまっとうに生きてますみたいなエラそうな顔しないで)

なぜなら、薫自身が似たような思いを抱いているからだ。

(仕事もいいけど、恋愛もいいけど、結局はひとりぼっちじゃない。本当に寛げる家族がいないなんて、かわいそうとしか言いようがないわ)

そうして一方では、

(仕事をしてるからって、何をエラそうに肩肘張ってるの？　所詮主婦のくせにって目で見るのはやめて。結婚も、子供も産んだことのないあなたに何がわかるの？　主婦業だってりっぱな仕事なのよ)

同情と嫉妬。

その相反する思いが互いの胸にある。

何らかのきっかけで、乃梨子のその嫉妬の部分が刺激され「郁夫を奪ってやる」という形に現れないとは限らないのではないか。

まさか。

薫は首を振った。何て馬鹿げたことを考えているのだろう。乃梨子のあの華やかな姿を見て、自分の方こそ嫉妬にかられているようだ。

けれども、もし郁夫と結婚していなかったら、あそこでにこやかな笑みを浮かべていたのは自分ではなかったのか。あの時、そんな想像がちらりと脳裏を横切ったのも確かだ。

そんなわけはない。会社を起こす才能など自分にあるはずもない。たとえ郁夫と結婚しなかったとしても、きっと他に誰かと結婚して、今と大差ない人生を送っていたに決まっている。

これでよかったのだ。すべては納まるところに納まり、今はそれぞれ似合いの、互いにふさわしい場所にいる。選択の間違いなど、どこにもなかったのだ。

そんなことはわかっている。わかっているのに、想像が徐々に妄想へと広がってゆく。

そんな自分を戒めるためにも、薫は確信が欲しかった。

今、郁夫は風呂に入っている。薫は寝室に入り、郁夫の鞄《かばん》の中から携帯電話を取り出した。まずは登録された電話番号を順番に検索していったが、乃梨子の名前は見つけられなかった。ほっとしたと同時に、もしかしたら別の名前で登録しているかもしれないと考えた。今度は発信記録と受信記録を検索した。それぞれに過去の二十件までが記録されている。その中に、それぞれ四件ずつ同じ名前があることに気がついた。名前は「山田一夫」。平凡過ぎる名に却って疑いが広がった。

確かめるのにいちばんの方法はリダイヤルすることだ。薫は通話ボタンを押した。

コールが三度鳴り、声がした。

「はい」

女の声だった。薫は息を呑んだ。やっぱり登録は偽名だったのだ。けれど、果たしてそれが乃梨子の声なのか判断がつかない。こちらから何か言うべきか迷った。けれども、その必要はなかった。

「もしもし、笹原さんでしょ、どうしたの？」

疑う余地はもうなかった。それは確かに、乃梨子の声だった。

電話を切り、ベッドの上でぼんやりしていると、今度は郁夫の携帯電話がコールし始めた。画面を見ると着信「山田一夫」になっている。

ふたりは薫の知らないところで繋がっていた。そうして、パーティの時も、まるで何年かぶりで会うような振りをして、薫を騙《だま》した。乃梨子は内心、何も知らずに呑気《のんき》に再会を喜ぶ薫を笑っていたに違いない。

薫は電話を床に叩きつけた。

これが裏切りでなくて何だろう。乃梨子と浮気されるぐらいなら、若い女の子とうつつを抜かしていてくれた方がよほどマシだ。

今までの浮気は、何とか水に流して来た。薫自身、他の男に心を動かされたことがある。浮気もした。けれど、今回は違う。これは浮気というレベルじゃない。

本当にそうなら、もし本当に乃梨子と関係があるなら、郁夫も乃梨子も絶対に許さない。

やがて、風呂から上がってきた郁夫が、タオルで髪を拭きながら寝室のドアを開けた。

「何だ、ここにいたのか。明日、大阪に出張だからな」

薫は答えない。

「朝、六時には家を出るから」

黙ったままの薫に、郁夫はいくらか非難するような目を向けた。

「返事ぐらいしろよ、聞こえてるんだろ」

「誰と？」

「え？」

「だから、出張は誰と一緒に行くのって聞いてるの」

声に険が含まれている。

「何言ってんだ、ひとりに決まってるだろ」

返す郁夫も不機嫌になる。

「山田一夫さんと一緒じゃないの？」

言ってから、薫はゆっくりと顔を向けた。

一瞬、郁夫に間の抜けたような表情が浮かび、それから頬を強ばらせた。

「どういう意味だ」

「意味なんてないわ、ただ聞いてるだけ」

「だから、ひとりだと言ってるだろ」

「そう」

薫はベッドから立ち上がった。

「山田一夫さんから、着信があるわ。言っておくけど、その前に私があちらに掛けたから」

郁夫はうろたえていた。すっかり落ち着きをなくして、目をきょろきょろさせている。そんな郁夫を今まで見たこともなかった。今まで浮気がバレても、いつも図太く構えていた。ところがどうだ、乃梨子のことにはこんなにも慌てふためいている。今までの浮気とは違う、いっそうそれが感じられた。

「今夜は私、洪太の部屋で寝ますから」

薫は寝室のドアノブに手を掛けた。

言い訳や、引き止める言葉があるかと思ったが、郁夫は何も言わなかった。そのことに、よりいっそう打ちのめされながら、薫は寝室を出て、後ろ手でドアを閉めた。


翌朝、薫は起きなかった。

もちろん、眠れるはずもなく、郁夫が朝五時過ぎに起きだし、キッチンでごそごそと朝食を済ませ、家を出て行ったことも知っていた。出張の支度も自分でしたのだろう。

さすがに子供らを放っておくわけにはいかず、七時には起きて、朝食の用意をした。

それから、昨夜中に考えていたことを、子供たちに告げた。

「今日は、仙台に行くから」

仙台は薫の実家がある。一瞬ふたりはぽかんと薫を見た。洪太はすぐに「わーい」と素直に喜んだが、中学生になった沙絵は困ったような顔をした。

「学校、休むの？」

「そうよ」

「私、困る」

「どうして」

「だって、部活があるもの」

「そんなの、休めばいいじゃない」

「おじいちゃんかおばあちゃんに何かあったの？」

「別に何もないけど」

「だったら、私、留守番してる」

「駄目よ、お父さんは今夜、出張でいないの。沙絵、ひとりになってしまうのよ」

「平気よ、ひと晩くらい」

カッとして、思わず声を荒らげた。

「どうして言うことが聞けないの。お母さんが休みなさいって言ってるんだから、休めばいいの。先生にはちゃんと連絡しておくから」

「いやよ」

強い口調で、沙絵は反発した。

「私は行かない。私にだって予定も都合もあるの。お母さんの勝手にばかり付き合っていられない」

「じゃ、勝手にしなさい」

沙絵は二階に駆け上がり、鞄を持って「行って来ます」も言わず飛び出して行った。

薫は息を吐き出した。ついこの間まで、夜中にひとりでトイレにも行けなかったのに、いつの間にか、自分の生活というものを確立し始めている。親より友達の方を必要とする、そんな年代に入ったということなのだろう。

実家に電話をすると、母は大喜びした。

「久しぶりだわねぇ、洪太、ずいぶん大きくなったでしょう。待ってるからね」

やっぱり親はいい。本当の意味で羽を休めることができるのは、いくつになっても親の許だと思う。

薫は急いで朝食の後片付けをし、洪太と自分の着替えをボストンに詰め、午前十時には家を出た。郁夫宛てに手紙を残して行こうかとも思ったが、何を書いていいのかわからなかった。今は、書く気力さえなかった。


実家もまた、時流のまま二世帯住宅に建て替えられている。

二階に弟夫婦と子供ふたり、一階が両親だ。一軒の家だが同居ではないし、夫婦共稼ぎで日中は両親しかいないということで、気楽に過ごせるとばかり思っていたのだが、実際に訪ねてみると、そういうわけでもなかった。

まず、母があんなに愚痴っぽくなっているとは思ってもみなかった。着いたとたん、嫁の悪口が始まった。

「気が利かないったらないの。無神経って言うのかしら、夜中でも洗濯機を回すから、下にいるとうるさくて。玄関の掃除だっていつも私がしてるのよ。どんなに枯葉がたまっていても平気なの。上の部屋なんて、めったに行かないけど、ほら、呼んでくれないからね、いつもそりゃあひどいもんよ。いくら共稼ぎだからって、もうちょっと主婦らしいことをしてもよさそうだと思うんだけど、健一が優しい子だから何にも言えないのよね。それに、週に一回か二回は残業とか言って遅くなるの。飲んで来ることもよくあるのよ。そんな時は、いつも健一や子供たちにコンビニのお弁当を食べさせているのよ。うちで食べさせましょうかって言うと『放っておいてください』ですって。好意ってものがわからないのかしら」

父は父で、少し糖尿の気があったせいか、今は自分の健康のことにしか興味が向かなくなっていた。

「最近は血糖値も安定しているが、あれはアガリクス茸《だけ》とプロポリスのおかげだと思っているんだ。ちょっと高価だが、命と引き替えにはできないからな。そうそう、洪太、おなかが弱いと言っていたけど、市販のヨーグルトに含まれるビフィズス菌は、ほとんど胃酸で死んでしまうから、ちゃんと成分を見極めて買いなさい。そうだ、一度アロエを試してみるといい。医者いらずの言葉どおり、いろんな効き目がある。やっぱり昔ながらの薬草は信じられるものが多い。玉葱《たまねぎ》は血液をさらさらにするが、ナマがいちばんで、水にもさらさん方が効き目は確かだな。私は毎日、一個の半分は食べてる」

薫にとって両親はいつも大人だった。世間のこと、世の中のことでわからないことがあっても、両親に尋ねればいつも納得できる言葉が返って来た。けれど、大人はいつかまた子供に還《かえ》ってゆくものらしい。そう言えば、父も母も、もうとっくに還暦を過ぎてしまった。

夕方になると、洪太が「おうちに帰りたい」とぐずりだした。祖父母に可愛がられるのは嬉しいが、いつもの公園でいつもの友達と遊ぶ方がやはり楽しいらしい。

母には「二、三日よろしく」と言っておいたが、たった一日過ごしただけで、正直を言えば、薫もすっかり気疲れしていた。

だからと言って、すぐ家に戻るわけにはいかない。郁夫と乃梨子の関係を知ってしまった以上、何らかの結論か決着をつけなければ、どうにも先に進めない。

翌日の午前中、母は婦人会の集まりに出掛け、父はサロンのようになっている病院に行ってしまった。洪太とふたりでぼんやり過ごしているとチャイムが鳴った。

出てみると、驚いたことに、ドアの向こうに立っていたのは郁夫だった。

「帰ってくれないか」

郁夫が落ちついた口調で言った。

「嘘をついていたのは謝る。でも、彼女とは何でもない。これだけは誓って言える。誤解されるのがイヤで秘密にしてしまったが、それが却って、何かあるような誤解を生んでしまった。すまなかった。薫が納得するまでちゃんと話すから、とにかく家に帰ってくれ」

薫は郁夫を見ていた。郁夫もまた、薫をまっすぐに見つめている。こんなふうに、真正面から互いを見つめ合うことなどずっと忘れていた。

「パパ！」

洪太が出てきて、郁夫の腰にしがみついた。郁夫が軽々と抱き上げる。

「沙絵も待っているから。頼む、この通りだ」

そうして郁夫は頭を下げた。そんな郁夫を見たのは初めてだった。もしここで、話し合うことを放棄してしまったら、すべてを失ってしまうように思えた。失うことを自分は望んでいるだろうか。いいや違う。失いたくない。そんなこと、できるわけがない。はじめからわかっていた。わかっていて、仙台までやって来た。

薫は小さく頷いた。

「待って、すぐ用意するわ」

そうして、ボストンバッグを取りに部屋に戻った。

age.47

† 乃梨子

「それで、篠田さんにお聞きしたいんですけれど、女性起業家として成功する秘訣《ひけつ》は何でしょう」

まだ三十歳そこそこの女性インタビュアーの問いに、乃梨子はにこやかに答えた。

「秘訣だなんて、そんな大それたものは別段ないんですけど、やはり好きなことを仕事にするのがいちばんじゃないでしょうか。好きなことなら、苦労も苦労とは感じないですから。最初から成功ばかりを狙うのではなく、まずは全力を尽くす。結果は後からついて来るものだと思います」

事務所の応接室のソファに腰を下ろし、乃梨子は今、女性誌の取材を受けている。

「なるほど。会社を立ち上げて五年で、従業員が十五名もいる人気のトラベルアドバイザー事務所の社長となられたわけですけど、篠田さん自身、これから、どんな旅行プランを提案されてゆくつもりですか？」

「たぶん、需要はますます多様化されてゆくと思います。規格品ではなく、お客さまおひとりおひとりのニーズにお応えしプライバシーを尊重し、尚且《なおか》つ、パック旅行の便利さ、料金の安さ、安心、保証など、細部にまで心配りしてゆきたいと考えております」

インタビュアーが頷く。その背後で、カメラマンが乃梨子の表情にレンズを向けている。気を抜けない。背筋を伸ばし、足先まで神経を配り、口角をぎゅっと上げて、顔から笑みを絶やさない。

「それでは最後に、ちょっとお仕事から離れるお話も伺いたいんですけど」

「何でしょう」

「年齢を言うのは失礼ですけど、篠田さん、とても四十七歳には見えなくて。いつまでも若く美しくいられるコツのようなものがありましたら、ぜひ、教えていただきたいんです」

乃梨子は思わず口元に手を当て、笑い声を上げた。

「それは、どうもありがとうございます。でも、年相応にシミもシワもありますよ。私は決して、若く見られたいなどとは思ってないんです。年相応に見られるのがいちばんだと思っています。それでも、もしコツがあるとしたら、そうですね、いつも何かにときめいていることかしら」

「ときめきですか。素敵な女性は、いつも素敵な恋をしている、そういうことでしょうか」

「それだけではないですけど、もちろん、それも欠かせません」

少し意味ありげに、乃梨子はインタビュアーを見返した。彼女が小さくため息をつく。

「独身で、仕事をバリバリやって、恋愛も充実している。篠田さんみたいな人生を送るのは、女性の憧れですね」

「まさか。ひとりで生きるというのは、やはり、それなりに覚悟が必要ですから」

「じゃあ、もし、二十年前に戻ることができたら、別の人生を選ばれますか？」

そんな質問をされるとは予想もしていなかった。乃梨子は少し言葉に詰まった。

どうだろう、果たして自分は今に続く自分を選ぶだろうか。

乃梨子は小さく首を振った。今更、そんなことを考えてどうなるのだろう。別の人生を選ぶと言えば、いったい今までの自分は何だったのだということになる。

乃梨子はゆっくりとインタビュアーに顔を向けた。

「もし、と考えて、人生を思い返すようなことはしたくありません。今の自分をどう生きるか、大切なのはそれだけです」

取材の人間たちが帰った後、乃梨子は応接室のソファに座ったまま、しばらくぼんやりした。

ひとりで事務所を立ち上げて、今ではこんな取材を受けるほど安定した企業になった。ターゲットとする客の年齢層を三十代以降に設定し、個性的な企画と高いグレード感のイメージ戦略が成功して、激安ツアーとは一線を画したヒットツアーを何本も生み出して来た。

そんな乃梨子に対して周りはよく「運のいい人」と言う。口では「おかげさまで」とにこやかに答えてはいるが、内心では「すべてを運にされたんじゃたまらない」と、感じている。

この五年間、どれだけ必死になって働いて来たか。どれだけ頭を下げたか。銀行に行き、税務署に行き、時には、外務省にも出掛けてさまざまなことを交渉した。横柄な男やヒステリックな女と会い、唇を嚙み締めたことがどれだけあるか。セクハラや同業者からのいやがらせ、ストレスで円形脱毛症になったこともある。いやな思いをしたことなんて数えきれない。

そんな日々の努力も忍耐も、人は一言「運」で片付けようとする。

それにいちいち反論しないのは、その根底にあるのが、今の乃梨子を「実力の成果」として認めるのが口惜しいからだ。それは結局、負け犬の証拠だ。

「社長、J社からお電話です」

社員の女の子が応接室に顔を出した。乃梨子はソファから立ち上がった。

「デスクで取るわ、そっちに回して」

「はい」

乃梨子は自分のデスクに向かった。

今更、こんな自分をみんなにわかって欲しいなどと思ってはいない。わかってくれる人だけにわかってもらえばいい。

けれど、本当にわかってくれる人間が自分のそばにちゃんといるのか、と考えると、乃梨子は取り残されたような気持ちになった。

一緒に仕事をしている社員だろうか。静かに見守ってくれる田舎の両親だろうか。今、付き合っている恋人だろうか。

もし、自分に家族がいたら、答えに迷うことなどないに違いない。

ベッドの隣りで眠る石野《いしの》の顔を、乃梨子はぼんやり眺めていた。

石野は一年ほど前から付き合っている二歳年上の恋人だ。快活で決断力があり、中年を感じさせないエネルギッシュさに惹かれて、特別の関係になった。

優しいし、会話も楽しく、知り合えたことを幸運に思っているが、当然のことながら、石野は既婚者だった。

この年齢になると、独身男と知り合うことなど皆無と言っていい。ほんの時たまいないではないが、ほとんどの場合「彼ならさもありなん」と、納得できるような男ばかりだ。そうでなければ若い女しか眼中になく、乃梨子のような年齢では女として認めないと、頭からおばさん扱いしている男だ。離婚歴のある男と付き合ったこともあるが、彼らは一様に女と深入りすることを恐れている。

もちろんそうではない男たちもいるだろう。けれども残念なことに、乃梨子はまだめぐり会っていなかった。

今、乃梨子にとって石野は手放せない存在だ。乃梨子に「まだ自分は女なんだ」という感覚を呼び起こしてくれる。

けれども、石野との関係を、若い頃には何でもなく使っていた「恋」という言葉を当てはめていいものか考えてしまう時がある。いや、そもそも恋とはどういうものだったのか、それさえ時々わからなくなる。

二十代の頃、三十歳になったらもう恋なんかしないと思っていた。キスもセックスも、二十代の若さにこそ似合うものだと思っていた。けれど、三十代になっても、やっぱり誰かを好きになった。キスもしたし、セックスもした。そうして四十代も同じだ。驚いたことに、キスもセックスもする。誰かにそばにいて欲しいという感覚も消えなかった。

けれど、二十代や三十代の頃とは何かが違っていた。それが何なのか、よくわからない。よくわからないけれど、もしかしたら「諦め」がいつも張りついていることかもしれないと思う。年をとるに従って、恋をするには何かを諦めなくてはならないことがわかってきた。たとえば、相手が独身であることを諦める、というふうに。

もちろん、石野が結婚しているのは仕方ないと思ってる。「奥さんと別れて」なんて、言うつもりはまったくない。

結婚を否定しているわけではないが、それと同じくらい、肯定しているわけでもなかった。何かの拍子にふと、石野と共に老いてゆくことができたらと、考える瞬間がある。海の見える静かな避暑地で、のんびりと穏やかに残された時を刻んでゆけたら。

けれど、それは無謀な夢だ。

石野は優しく、乃梨子のために時間を取ることを少しも面倒がらない。時には、週末にふたりで短い旅行を楽しむこともある。

ふたりは喧嘩というものをほとんどしたことがなかった。喧嘩をしようと思えば、原因はどこからでも引っ張って来ることができるが、乃梨子はしない。石野もしない。そうなりそうな時は、ふたりともうまく回避する。

ふたりで過ごす時間は、できるだけ気持ちよく過ごしたいと思っていた。

でも、それは言い換えれば、喧嘩をすれば決定的な別れに繋がる危険性を孕《はら》んでいることを互いに知っているからだ。まるで壊れ物のように、ふたりはこの関係を扱っている。

どう喧嘩しようと、ふたりが別れるはずがない、そんな太い絆《きずな》があれば、喧嘩することなど少しも怖くないに違いない。喧嘩ができないのは、つまり、そういう脆《もろ》さゆえだ。


それからしばらくして、薫から電話があった。

一年ぶりだった。昔なら、一年も連絡を取り合わなければ、もう友達とは言えないように思えたが、今は、一年ぐらい会わなくても大して変わりはないものだと感じるようになっていた。

それは薫だけでなく、かつての友人たちともみんなそんな程度の付き合いしかない。それぞれ、日々に追われるように過ごしていて、一年なんてあっと言う間だった。

「あのね、実は今度、お友達と五人で海外旅行に行こうと思ってるのね。それで、その相談に乗ってもらえないかと思って」

薫のそのちょっと鼻にかかった甘える口調は、昔のままだ。声だけは年をとらない女がいるというが、薫はまさにそれらしい。

「いいわよ。どこに行きたいの？」

「時間を取れるのは五日がやっとなの。だとしたら、どの辺りがいいかしら」

「そうねえ、それじゃあまり遠くは無理よね。韓国、台湾、香港、バリ。やっぱり東南アジアって感じかな。いいわよ、今、すごく人気も高いの」

「のんびりできて、お買物ができて、おいしいものが食べられて、ホテルがよくて、あんまりお値段の高くないのがいいんだけど」

乃梨子は苦笑した。

「みんなそう言うわ」

「ふふ、当然よね」

薫も笑っている。

「うちが企画したツアーがいろいろあるから、紹介するわ。近いうち、事務所に来ない？」

「みんなで行ってもいい？」

「もちろんよ」

「嬉しいわ」

薫は弾んだ声を出した。

「自慢できちゃうわ。私の友達にこんなすごい社長がいるのよって」

「やめてよ、すごくなんかないわよ」

「何言ってるの、すごいわよ。この間、美容院で雑誌を見たわ、インタビューに答えてるの。何だか、乃梨子が別の世界の人に見えたわ。私なんて一生、誰からも『あなたの生き方を聞かせてください』なんて言われることはないんだもの」

「あれは、ちょっと気取っていいことばっかり言ったの。本当は、あんなかっこいいものじゃないの、毎日、髪振り乱して仕事してるんだから」

そう言いながらも、乃梨子は少し優越感に浸っていた。独身で仕事をしている女にはこれくらいのことは許されるはずだと思った。

その時、不意に、グラッと来た。

「やだ、地震だわ」

電話の向こうで薫が不安な声を上げた。

「ほんと、結構大きいわね」

天井を見上げると、ペンダントライトが左右に揺れている。サイドボードの中でグラスもカタカタと音をたてている。

しばらくして、収まった。

「ああ、よかった。怖かったわねえ」

「震度四くらいはあったかも」

「ほんと、地震っていつ来るかわかんないから、心構えができないのよね」

などと言い合っていると、薫の方にキャッチが入った。

「あ、ごめん、ちょっといい？」

「いいわよ」

待たされたのはほんの少しの間だった。

「ごめんなさい、郁夫だった」

「あら」

胸の奥で棘《とげ》のようなわずかな痛みがあった。郁夫とはあれからまったく会ってない。普段は忘れていても、こんな時、ふと切なさに似たものが蘇《よみがえ》る。

「心配して、わざわざ電話を掛けてくれたんだ」

「そうみたい。だけど、心配してるのは私のことじゃなくて、子供たちのことなんだけどね」

ついさっき感じた優越感など、瞬く間に消えていた。ひどく孤独を感じた。

「それより、旅行の件。じゃあ、本当に事務所にお邪魔していい？」

「もちろんよ。前もって連絡をくれたら、その時間はちゃんとあけるようにしておくから」

「助かるわ。じゃあまた電話するわね」

「ええ」

乃梨子の電話ももちろんキャッチになっている。けれど誰からも掛かっては来なかった。馬鹿げていると思いながら、どこかで石野からの電話が鳴るのを待っていた。

けれども、石野もまた郁夫と同じように地震があっていちばんに気になるのは家族のことだろう。当然、安否を確かめずにはいられないはずだ。そんなことをいちいち気にしては、妻子持ちの男なんかと付き合ってゆけない。

では、この世の中で、私のことをいちばんに思ってくれるのは誰だろう。

考えただけで、身震いしそうになった。誰もいやしない。たとえ大きな地震が来て、マンションが崩れ落ちても、瓦礫《がれき》の下から私を助け出すために真っ先に駆け付けてくれる人間など、いやしない。自分はそこで、忘れられたように息絶えるだけだ。

そんなことはわかっている。ひとりで生きるということは、そういうことなのだ。

それがわかっていても、身体から力が抜けるような感覚に包まれて、乃梨子はソファの背に深くもたれかかった。

† 薫

二週間後、薫は友人たちと共に乃梨子の事務所を訪ねた。

郁夫とのことで、まったくこだわりがないと言えば嘘になる。

けれど、もう四年も前のことだ。何もなかった。そのことは信じているし、もう忘れようと、薫は決めていた。

青山にある事務所は、想像していたよりずっと大きく、また洒落た内装になっていて、応接室に通された薫は圧倒されたようにソファに腰を下ろした。

広い窓からは東京タワーが見える。家具はシンプルで高級感に溢れ、壁にはセンスのよいリトグラフが掛かっている。

乃梨子は確かに昔から仕事はできたが、その分、実質本位で、若い頃アパートに遊びに行った時も、学生時代の机やベッドをそのまま使っているような無頓着さがあった。それが今では、こんなに洗練された会社の社長だ。

しばらくして、乃梨子が部屋に入って来た。

「ごめんなさい、お待たせしました」

とたんに、部屋全体に華やかさが広がった。

友人たちは少し緊張したようにソファから立ち上がった。

「あ、どうぞそのままで。よろしくお願いいたします。私、篠田乃梨子と申します」

乃梨子はひとりひとりに名刺を手渡した。

薫も渡された名刺に目を落とした。

『オフィス・篠田　代表取締役社長　篠田乃梨子』

その文字が、自信に溢れて並んでいる。

薫たちは誰も名刺を持っていない。五人共、パートやアルバイトはしていても、基本的には普通の主婦で、日常生活において名刺など必要ない。

それぞれに口頭で自己紹介をしたのだが、薫はどこか恥ずかしかった。

自分が、個人として世の中に存在していないように思えた。結局は夫の付属品で「笹原郁夫の妻」としか認識されていない。そう言えば、戸籍だって、表札だって、みんなそうだ。

薫の前には、いつも郁夫の名前がある。

「それでご旅行ですが、いくつか選んでみました。お気に召すのがあればいいんですけど」

乃梨子がみなの前にパンフレットを並べた。先日、電話で言っていたように、主にアジアが中心だ。

「こんなにあると迷っちゃうわ」

手に取りながら、ひとりが声を上げた。

「篠田さんの方で、お薦めはありますか？」

「そうですね、今はやはりベトナムが人気ですね。食べ物はおいしいし、雑貨類の買物も楽しいですよ。その上、距離的にも手頃ということで、私も大好きな国なんです」

「行かれたんですか?」

「ええ、五、六回は」

「そんなに」

「力を入れている企画に関しては、必ず自分の目と足で確かめるようにしていますから」

「そんなに海外にいらしたら、日本にいる時間がないんじゃないですか」

「そんなことはないですけど、年に四ヵ月近くは海外ですね」

ふう、とみなの間からため息が洩れた。

結婚して二十年。その間、家族旅行を別にすれば、旅行と呼べるようなものなど数えるほどしか行ったことがない。周りの友人たちも、みんな同じだろう。

たった一泊の温泉だって、まずは郁夫の都合を優先し、子供たちの予定を考えてから、日を決める。それだって、当日になって急に子供が熱を出して諦めたこともある。

その点、乃梨子は自由だ。自分を縛るものは何もない。自分の予定はすべて自分で決められる。それはつまり、自分の人生は全部自分で決められるということだ。

薫はふと考えてしまう。

自分の人生って何だろう。これは本当に私の人生だろうか。もしかしたら、郁夫と子供たちの人生の中に紛れ込んでしまっているだけではないのだろうか……。

行き先に関して、色々と意見は出たものの、最終的にベトナムに落ち着いた。乃梨子の紹介ということで、料金よりも一段グレードの高いホテルの用意と、エステティックを一回サービスしてくれることになった。

「みなさん、毎日、家のことでお忙しいでしょう。このツアーでしたら、十分にリラックスしていただけると思います」

乃梨子の言葉に、みなは満足そうに頷いた。


事務所の帰り、近くのティールームに入った。

それぞれにパンフレットを広げると、すでに気持ちはベトナムだ。

ふと、ひとりが顔を上げた。

「さすがに彼女、私たちと同世代には見えないわよね、どう見ても十歳は若いわ」

その言葉に誰もが頷く。

「確かにね。シンプルな濃紺のパンツスーツに白シャツ、髪はショートボブで、耳には一粒ダイヤのピアス。腕時計はフランク・ミューラー、靴はグッチかしら。まさに、成功した女のスタイルって感じ」

「仕事は順調で、おまけにちゃんと恋人もいるんでしょう。何だかでき過ぎで、嫌味にさえ感じちゃったわ。あら、ごめんなさい、薫さんのお友達なのに」

「いえ、いいのよ、気にしないで」

薫は首を振った。それからわずかに声を落として、付け加えた。

「友達だけど、何だかもう、通じ合えるものがほとんどないって言うか」

「そりゃあ、そうかもね。こんなこと言っちゃ何だけど、もしかしたらあちらも、あってたまりますかって思ってたりして。あら、これは薫さんのことじゃないのよ、私たちみたいな主婦全般に対してってこと」

「そうかもね……」

「私も思ったんだけど」

また、ひとりが言った。

「口ではうまいこと言ってたけど、彼女はきっと、主婦なんてって、どこかで馬鹿にしてるんだわ」

薫は顔を向けた。また、別のひとりが言う。

「そうよね、ああいう女性って結局、主婦と対極にいる存在じゃない。言い換えれば主婦の敵ってことにもなるわけだし」

テーブルの中で、小さな笑い声が上がった。

「そこまで言う？」

「それに、ああいう女の人って、主婦ってみんな同じって思ってるかもしれないけど、主婦から見たら、あれはあれでやっぱりみんな同じなのよね」

「そうそう、確かに若くて綺麗かもしれないけれど、どこか冷たいって言うか、女ひとりで頑張ってますっていうのがみえみえで、何だか長く一緒にいると疲れちゃう」

「ねえ、独身の女の方が更年期が早いって聞いたけど、本当かしら」

話題がどんどん飛躍してゆく。

「ああ、それね。妊娠と授乳中は生理が止まるじゃない。それが子宮や卵巣を休ませることになるって聞いたことがあるわ。独身だとフル稼働するわけだから」

「なるほどね」

「ねえ、人生やり直すことができたら、どっちを選ぶ？」

「どっちって？」

「もちろん、今の自分のような人生か、それとも篠田乃梨子さんのような人生か」

誰もが一瞬、黙り込んだ。

薫ももちろんそのひとりだ。今まで何度それを考えただろう。けれど、いつも答えは決まっている。たとえ郁夫と結婚しなかったとしても、自分と乃梨子とを入れ換えることはできない。

半ば、捨てゼリフのようにひとりが言った。

「やっぱり彼女は才能があったってことよ、独身とか主婦とかとは関係なく。それは認めるわ」

「そうね、主婦は才能がなくてもやれるけど、仕事はそうはいかないだろうし」

「でも、主婦をやるには本能がなくちゃやれないわ。家庭を守ったり、子供を産み育てるってそういうことでしょ」

「つまり、篠田さんは女としての本能をなくしてしまったってこと？」

「そこまでは言わないけど、希薄なのは確かよね」

「篠田さんは才能に生き、私たちは本能に生きているってわけね」

「それ、どっちがいいのかしら」

「それは、わかんないけど」

誰もが言葉を途切らせて、自分たちの前にある飲み物を飲み干した。

それから、そろそろ夕食の準備にかからなければならない時間が近付いていることに気づいて、全員似たようなトートバッグに手を伸ばした。


七時になろうというのに、家には誰も帰って来ない。

せっかく夕食を作って待っていても、最近はいつもこんな調子だ。

長女の沙絵は十六歳になり、関心があるのは、お洒落と男の子と友達と携帯電話と音楽と部活のラクロスで、母親なんてものにはもう興味もない。帰宅時間も時には八時を過ぎることがある。

息子の洪太は八歳で、子供らしいところはまだたくさん残っているが、今年に入って少年サッカー教室に参加するようになってから、急速に世界を広めるようになっていた。今日もきっと、練習後のミーティングに夢中になっているのだろう。もう二、三年もすれば、沙絵と同じように、母親の許から離れてゆくのは目に見えている。

母親の役割としての時間は、もうカウントダウンされていた。では、それが終わったら自分は何をすればいいのだろう。

薫は食卓に並んだ料理を眺めながら、頬杖《ほおづえ》をついた。

習いごとはたくさんした。それぞれに楽しかったし夢中にもなったが、今となってみればただそれだけだったとも言える。身についたものは何もなく、もちろん、身を立てられるような資格も取ったわけではない。いったいあれは何だったのだろう。

せっかくの茶碗蒸しが冷たくなってゆく。栄養を考えて作った野菜と豆腐のハンバーグも、ソースが薄い膜を作り始めている。

結婚して二十年。夫と子供たちのために、こうして毎日、食事を作り、掃除をし、洗濯をして来た。

この生活を、家族の犠牲になったなどと思っているわけではない。これは自分が好きで選んだ生き方なのだ。

それでもやはり、どこかでわかって欲しいという気持ちがある。別に何をしてくれとは言わないが、もちろん「ありがとう」の言葉があれば嬉しいが、それがなくても仕方ないと思っている。ただ、覚えておいて欲しいのだ。どんな時も、薫がこうしてこの家で家族の帰りを待っているということを。

三十分ほどして、洪太が帰って来た。

「おかえり」

薫は玄関に迎えに出た。

サッカー教室のある日は、いつも山のような洗濯物をスポーツバッグの中に押し込んでくる。それだって、元気で育ってくれている証拠なのだから母親としては嬉しい限りだ。

「おなかすいたでしょう、ごはん、できてるわよ」

「僕、いらない」

「あら、どうして」

洪太はあっさりと言った。

「ミーティングの時、監督のうちで焼肉ご馳走になったんだ。もう、おなかいっぱい」

「でも、洪太の好きな茶碗蒸しもあるわよ」

「うーん、でも、いい」

薫は肩を落とした。

「そう、じゃあお風呂に入っちゃいなさい」

「うん」

泥だらけのまま、洪太が風呂場へ向かってゆく。すぐに沙絵も帰って来た。

「ごはんは？」

「いらない、みんなでマックに寄って来たから」

「それだけじゃ栄養が偏るわ。ちょっとだけでも食べたら」

沙絵はちらりと食卓に目を向けた。

「いい、これ以上食べたら太るもん」

そうして、足早に階段を駆け昇ってゆく。薫はまたもやため息をつかなければならなかった。

当然ながら、今夜も郁夫は遅いだろう。密かに取締役の席を狙っていて、仕事に、接待に、上層部との付き合いに、部下とのコミュニケーションに、と毎日めまぐるしく動き回っているのはわかっていた。ウィークディに、家族と一緒に夕食をとるなんてことはまずあり得ない。

薫は料理の並んだ食卓にひとり座った。箸《はし》を手にしたものの、どうにも食べる気にならず再び置いた。

郁夫も沙絵も洪太も、意識はみんな外に向いている。これからもっと、それは著しくなってゆくだろう。このままでは、そう遠くないいつか、この家に薫だけが取り残されてしまう。

そうして、ひとりで老いてゆく。

老い。

その言葉が、薫の身体を締め付けた。

今日、友人たちとティールームで話していた時に登場したひとつの単語が、ずっと頭の中に引っ掛かっていた。

更年期。

ここ一年ほど前から、急激に生理が不規則になり始めた。先日出掛けた婦人科検診では、小さいながらも筋腫《きんしゅ》があると言われた。時々感じる、のぼせやめまい、手先のしびれ、そして、どうしようもなく落ち込んでしまう瞬間。

それらはすべて、自分に確実にその時が近付いている証拠としか考えられなかった。

老いること。更年期を迎えること。

四十七歳。それに抵抗しようとしても無駄なことぐらいわかっている。ただやみくもに、恐れているわけでもない。個人差はあっても誰にも訪れることであって、いつかは受け入れなければならないという覚悟もついている。

ただ、それに代わる何かを、やはり人は見つけてゆくものではないかと思う。だからこそ、次の人生のステージにも穏やかな気持ちで移行してゆける。

言葉にすると陳腐だけれど、たとえば、やりがいのある何か、生きがいを感じる何か。

自分にはいったい何があるだろう。

何もない。今のままでは、主婦という座から下りたら、ただの途方に暮れる中年女になるしかない。

薫が怖いのはそれだった。

ベトナム旅行は、確かにいい気分転換になった。

女ばかり五人旅は賑やかで、まるで女子高生に戻ったようだった。人々も、風景も、食べ物もすべてが刺激的で、帰りの飛行機の中で「また、絶対に来よう」と、約束し合った。けれど、そんな浮かれた気分も、五日ぶりに家に着いたとたん、瞬く間にしぼんでしまった。

家の中はひどい有様だった。内心「これで少しは母親の有り難みがわかったに違いない」と思ったが、三人の反応はそれとは別物だった。

「お母さんがいないと、僕、困る」

「もう、勘弁してよねって感じだったわ」

「今度から、こんな時は家政婦さんに来てもらう」

確かに、彼らは困ったようだ。でもそれは、掃除や洗濯やゴミ出しが面倒だったというだけのことで、つまり、それをやってくれる人間がいてくれたら、薫じゃなくても構わないということなのだった。

薫は散らかった部屋と、洗濯機から溢れた洗濯物と、臭い始めているキッチンのゴミ箱を眺めながら、痛いくらいに感じていた。

このままじゃいけない。

このままじゃ、私はこの家の中で朽ちてゆくだけだ。

† 乃梨子

遠くで電話が鳴っている。

乃梨子は眠りの中から、次第に現実へと引き戻された。

薄く目を開けて、ベッド脇のテーブルに手を伸ばす。時間は午前二時を少し回ったところだ。

「もしもし」

受話器を取り、くぐもった声で答えた。

返事はない。

「もしもし？」

重い沈黙がそこに広がっている。

乃梨子は小さく息を吐き、受話器を置いた。間違い電話かいたずら電話か。いいや、相手は誰だかわかっている。石野の妻だ。

石野と会った夜は、こうして必ずと言っていいほど無言電話がある。乃梨子は布団に潜り込み、毛布を目の高さまで引き上げた。けれども、いったん中断された眠りはなかなか戻ってきそうになく、仕方なくベッドから起き上がった。キッチンに入り、冷蔵庫に残っていた白ワインをどうでもいいようなグラスに入れ、居間のソファに腰を下ろして飲み始める。半分ほど飲んで、またひとつ息をついた。

確かに石野と付き合っている。食事をしたり飲んだりする。この部屋にも来る。時には短い旅行にも出掛ける。

石野は乃梨子のことを「大切な存在だ」と言ってくれている。そのことはとても嬉しく思っているのだが、脳裏にはいつもこれがくっついている。

「でも、責任を取る必要のない存在でもあるんだわ」

たとえば、この間の地震だ。大した大きさではなかったが、もしあれが大震災となった時、石野は間違いなく、乃梨子ではなく妻や子供たちのところに駆け付けるだろう。乃梨子のことは心配してくれるだろうが、それはある意味、第三者としてのそれだ。

石野は離婚する気などないし、もちろん乃梨子も望んでない。いつかは終わりが来るとわかり合っている付き合いだ。

それでも妻は、収まらない気持ちになるのだろうか。裏切りだと許せないのだろうか。何があっても妻なのだから、どうせいつかはそこに戻るのだから、もっと大らかに、手のひらで遊ばせるような寛容な気持ちで、夫を包み込むことはできないのだろうか。

こんなことを口にすると、妻の立場の女からは、

「あなたは結婚したことがないから、わからないんだわ」

と、言われるかもしれない。けれども、結婚したことがないからこそ、わかることもある。夫は妻という立場を、たぶん、妻が想像している以上に大切に思っている。男は社会的な生き物だ。社会の中で自分がどういう位置にいるかによって、人間としてのアイデンティティを確立しようとする。妻子を捨てる。そんな面倒なことをするのは、よほど愚かな男か、次の女に大きなメリットがある時に違いない。妻子を捨てるということは、それだけにとどまらず、捨てたくないものまで、捨てなければならないことでもある。そのことを男たちはみな知っている。

乃梨子は先日、薫が連れてきた主婦仲間たちの顔を思い浮かべた。

みんなにこにこしていたけれど、胸の奥底では、乃梨子に対して反感のような拒否のような思いを忍ばせていたのが感じられた。

主婦たちはみな、いつも共通する目で乃梨子を見る。

専業主婦と、働く独身女なんて、理解しあえるはずがない。たとえ同じ女であっても、かつて親しい友人であっても、このふたつの生き物はまったく種類が違うのだということを、つくづく感じる。


会社は順調だった。

シルバー世代に向けての企画は次々とヒットを飛ばし、この不景気にもかかわらず、売り上げは確実に伸びていた。

今夜は社員の慰労ということで、十五名全員を引き連れ、麻布のイタリアンレストランで食事会を催した。

下は今年入社したばかりの二十二歳、娘と言っても不思議ではない年齢だ。上は三十七歳、それでも乃梨子より十歳も年下になる。平均年齢は二十九歳といったところだろうか。たまたまではあるが、みな、独身だ。

食事会は賑やかなものになった。若い女の子が中心なので、話題はいつか恋愛や結婚に移行した。当然だと思う。乃梨子も彼女たちの頃はいつもそうだった。

「社長、結婚しても出産しても、うちの会社で働いていいんですよね」

社員のひとりが尋ねた。彼女は確か二十七歳のはずだ。

乃梨子は大きく頷いた。

「もちろんよ。そうしてもらわなきゃ会社としても困るわ」

それから、逆に聞いてみた。

「ねえ、結婚したら、仕事を辞めて家庭に入ろうなんて思ったりしないの？」

「まさか」

彼女はびっくりしたように首を横に振った。他の社員たちも同様だった。

「どうして？」

「もちろん、いちばんの理由は仕事が好きだからです。プラスアルファとして、相手がものすごいお金持ちならちょっとは考えるかもしれませんけど、夫の稼ぎだけじゃ苦しいのは目に見えてますから」

それから順次、社員たちが答え始めた。

「私は、自分の欲しいものは自分で買いたいんです。働いてなかったら、いちいち夫にお伺いをたてなくちゃいけないでしょう。そういうのって何だか屈辱的」

「家事と育児だけで毎日を費やすなんて、考えただけでうんざり。きっと私、ノイローゼになってます」

「夫婦喧嘩の九十パーセントはお金のことって、何かの統計で読んだことがあります。やっぱり経済力は必要です」

「それに離婚したくても、養ってもらってたら、それもできないかもしれないでしょう」

それぞれに逞《たくま》しい答えが返ってきた。

「でも、みんな結婚はするつもりよね」

「それは、できたら」

「子供も」

「環境が整えば」

「いいことだと思うわ」

乃梨子は彼女たちを見回した。

「私はね、今の女性は仕事も結婚も子供も、みんな欲しがっていいと思うの。欲張りに生きていいと思うのよ」

乃梨子は本心から言った。本当にそう思っていた。仕事か結婚か、なんて選択は時代遅れだ。手に入れられるものはみんな手に入れればいい。

「じゃあ、社長はどうして結婚しなかったんですか？　子供だって、持とうと思えばシングルマザーの道だって」

まだ若い社員から、ストレートな質問が飛んで来た。皮肉や詮索というより、若さゆえの素朴な疑問と思えた。こういうところが、世代の違いなのかもしれない。

「そうねえ、どうしてかしら」

社員たちの視線が集中する。

簡単に答えるつもりだった。うまくはぐらかせる自信もあった。なのに、ふと言葉に詰まった。

そう、私はどうして結婚しなかったのだろう。

「社長のおめがねにかなう男がいなかったということですか？」

「結婚でひとりの男に束縛されるのがいやだったとか？」

「やっぱり仕事に専念したかったから？」

「男嫌いですか？」

「もともと妻や母という座にまったく興味がなかったんですか？」

「ほんと、社長みたいな素敵な女性が今までしなかったなんて不思議しなかった？　本当にそうだろうか。自分の意志で「しない」と決めてきたのだろうか。

いいや、そうじゃない。できるものなら結婚したかった。

いいや、結婚だけならしようと思えばできたろう。実際にプロポーズされたことも何度かある。でも、結婚するなら「この人でなくては」と思えるような相手としたかった。欲しいのは世間が言う「結婚」ではなく、生涯を共にできる、心から愛せる伴侶《はんりよ》だ。

けれど、どうにもめぐり会うことができなかった。世の中には、好きな男と難なく結婚できる女もいるが、同時に、そうできない女だっているということだ。

「結局、縁がなかったのね」

乃梨子はようやくふさわしい言葉を見つけ、口にした。

嘘や誤魔化しではなかった。今となってみれば、本当にそう思う。

「縁なんて、古くさいと思うでしょう。私もあなたたちの頃はそう思ったと思うわ。でも、最近になってしみじみわかるの。やっぱり、人には縁というものがあるんだって。それは結婚だけじゃなくて、仕事にも言えることよ。人生のありとあらゆることは、すべて縁によって繋がってゆくものなのよ」

たぶん、若い社員たちにはあまりピンと来なかっただろう。それでいいと思った。あまり若いうちから分別くさくなる必要などない。

乃梨子はワイングラスを手にした。

「じゃあ、みんなにはちゃんと縁がありますように、ということで乾杯」

社員たちが笑った。

たくさんのものを手に入れてきたと思う。

買い替えた百平米近くのマンション、質のいいダイヤやプラチナの装飾品、お気に入りのブランドの時計やバッグや靴、自分の体型に合った服を扱うブティック、リラックスできる美容院にエステティックにスポーツクラブ、マッサージ。

妻子はあるが優しい恋人もいる。信頼できる社員たちも、お喋りに興じながら食事を共にできる友人たちもいる。それぞれの状況に応じた人間関係をそれなりに作ってきたと思っている。

そして、何と言っても仕事。今の仕事にやりがいも生きがいも感じている。すべてはこの仕事と出会ったから手に入れられたのだ。仕事のない人生なんて考えられない。

けれど、家に帰れば、いつもひとりだ。

たとえば、今日、思いがけず面白いことに出くわしても「今日はこんな面白いことがあったのよ」と語る相手がいない。今日一日、つらくて悲しくて口惜しかったのを我慢しても「今日一日、よく頑張ったね」と労ってくれる家族もいない。

ひとりで暮らすことも、生きることも、もうずいぶん長くやってきて、すっかり慣れたつもりでいるのに、時折、胸を締め付けられるような孤独感に包まれる。

「仕事は成功し、欲しいものをすべて手に入れられて、羨ましいわ」

他人は時折言う。

でも、本当にそうだろうか。この毎日は、この生活は、本当に私が欲しかったものだろうか。

夏の終わり。

明け方に、父が倒れたと、田舎の兄から連絡が入った。

「覚悟して来てくれ」

と、最後に言われ、乃梨子は足が震えた。

クローゼットを開け、喪服や数珠《じゅず》を揃《そろ》えながら、何度も「落ち着かなくちゃ」と呟いた。

父は今年八十歳になる。そんなことが起きてもおかしくない年齢だとわかっていながら、父だけはまだ大丈夫、と都合のいい方に考えていた。

今年、お正月もお盆も、仕事にかまけて帰らなかったことを後悔した。せめて電話ぐらい頻繁に掛けておけばよかった。母とは気軽に話せても、父となると、つい鬱陶《うっとう》しいような気持ちになる。父の口調には未だ説教くささが残っていて、もう乃梨子は四十七歳になるというのにいつまでも「心配の種の娘」なのだった。

東京駅からオフィスに電話を入れた。事情を話し、もしかしたら少し長く休むことになるかもしれないと告げると、社員はいくらか緊張した声を出した。

「わかりました」

「何かあったら携帯にすぐ連絡をちょうだい」

「はい、お気をつけて」

それから少し迷ったものの、石野にも掛けた。携帯は留守電になっていて、乃梨子は短く「父が倒れたので帰省します」とメッセージを入れておいた。

電車に揺られて、窓の外を眺めていると、幼かった頃のことがやけに思い出された。

父はいつも強くて大きくて頼もしかった。父は何でもできたし、何でも知っていた。怖い夢を見た時、潜り込むのは母ではなく、父の布団の方だった。大きくなるに従って、父に対して反抗的になっていった。思春期の頃は、父がどうしようもなく嫌いになって、口もきかなくなったこともある。

けれども、「東京の大学に行きたい」と言った時、母は猛烈に反対したが、意外にも父はあっさりと賛成してくれた。

「これからは、男も女もないんだ。精一杯勉強してこい」

そう言ってくれたことを今、後ろめたい気持ちで思い出す。

せっかく高い学費と毎月の仕送りをしてもらったのに、乃梨子と言えば勉強などそっちのけで、コンパやアルバイトに精を出していた。初めてセックスしたのも親元を離れてからだ。相手はすごく好きな彼だったが、胸の中で両親に「ごめんなさい」と呟いたのを覚えている。そんな殊勝なところも、あの頃の自分にはあったのだ。

十八歳で上京してから、結局、ずっと東京に住んでいる。あれから三十年近くがたったわけだが、乃梨子は自分のことを東京人と思ったことはない。住民票が移っても、マンションを買っても、たまたま自分はここにいる、というような思いがある。乃梨子にとっては、両親が住むあの田舎町が、自分の原点であり、確かな存在なのだった。

た。

乃梨子が帰った翌日、父は死んだ。

ほんの僅《わず》かな時間だが、父と最後の言葉を交わすことができたのが、せめてもの救いだった。

「元気でやってるか」

擦《かす》れた声で父に言われ、乃梨子は胸が詰まった。この期《ご》に及んでも、父にとってやはり乃梨子は「心配の種の娘」なのだった。

棺《ひつぎ》に横たわる父はずいぶん小さくなっていた。かつての、強くて大きくて頼もしかった父はもういない。いや、そんな父はたぶん、もうずっと前にいなくなっていたのだろう。けれど、どんなに老いても、父はやはり父だった。何の打算も見返りもなく、乃梨子を守ってくれる唯一無二の存在だった。

四十七歳にもなって、と笑われるかもしれない。けれど、心のどこかで父がいるということが、乃梨子の支えになってくれていたのは確かだ。

その父が死んだ。

これでもう本当に、私の娘時代は終わったのだ。

乃梨子は溢れる涙を指先で拭いながら、大きな喪失感を味わっていた。

age.52

†薫

朝、最初に家を出てゆくのは洪太だ。

七時になると、大きなリュックに弁当を押し込み、学校へと向かう。リュックの中身はサッカーのユニフォームやシューズ、タオル、そんなものばかりが詰まっていて勉強道具はほとんど入っていない。

少年サッカーで全国大会の準決勝まで進み、T私立中学に誘われて入学してから、ますます洪太のサッカー熱は高まっていた。

七時半になると、今度は沙絵の出勤となる。

沙絵は今年の春、私立の女子大を卒業して、大手の家電メーカーに就職した。不況の中、この就職難にもかかわらず、案外あっさりと決まってくれてホッとした。受験といい就職といい、運がいいのもあるだろうが、沙絵は本当に手のかからない子だ。

それから十分ほどして、夫の郁夫が出勤してゆく。

去年の役員改選では、てっきり取締役の席を手に入れられるものと自信を持っていたのだが、土壇場で逃してしまうという計算違いがあった。どうやら別派閥の専務の息のかかった者が抜擢されたらしい。さすがの郁夫もその件はショックだったらしく、めずらしく「どれだけ頑張っても、所詮はサラリーマンだからな」と愚痴をこぼしていた。

郁夫は今年、五十六歳になる。若手も虎視眈々《こしたんたん》と上を狙っていて、チャンスを摑むには、少しずつ追い詰められたような気持ちになるのも当然かもしれない。

九時半。最後に薫が家を出る。

薫は今、青山にあるオーガニックランチショップ『ナチュラル』で働いている。

カタカナ文字の洒落た名前がついているが、早い話が弁当屋だ。ただ、女性たちをターゲットに絞り、有機無農薬野菜をふんだんに使った低カロリーランチということで、都内に十二店舗を持ち、それぞれに繁盛している。

そこで働き始めてから四年がたった。今では、店の中でもベテランとなっている。

五年ほど前、仕事に成功し、颯爽《さっそう》と生きている乃梨子を見て「このままでは、私はこの家の中で朽ちてゆくだけだ」と、追い詰められたような気持ちになった。

けれど、そうなったからと言って、何をすればいいのかさっぱりわからなかった。また習いごとでも始めようか、ボランティアにでも参加してみようか、と、一年ぐらいはさまざまなことに手を出した。だが、何をやっても手応えを感じられない。いつしか、どうでもいいような気になっていた。「所詮、私はこんな生き方が似合ってるんだ」と、自棄《やけ》になり始めた頃だった。

気まぐれにコンビニで買ってきた求人情報誌をぱらぱらめくっていて、たまたま目についた広告があった。

「家族を思うのと同じ気持ちで、ランチを作ってみませんか」

もともと料理は好きで、健康のためにバランスのいいもの、安全で安心できるものを工夫して作ってきた。けれど、家族が家で食事をする回数はどんどん減るようになっていた。郁夫は残業や付き合いで毎日のように外食だし、沙絵も大概、友人たちと済ませてくる。洪太は食べることは食べるが、凝った料理を作っても、ものの五分で胃の中に掻《か》き込んでしまう。リクエストはいつもカレーか焼肉かハンバーグだ。母親の栄養管理の行き届いた料理より、コンビニやファーストフード店の方がおいしいと思っている。これでは作りがいがなくなっても当然だ。

調理師免許があるわけではないが、二十年以上も主婦をやって来て、料理だけには自信があった。もしここで働けたら、という思いが浮かび、思い切って面接に出掛けた。

実は募集には四十五歳までという年齢制限があった。そろそろ四十八歳になろうとしていた薫は、ダメでもともとという気で向かった。けれど、どういうわけか採用の通知を受けた。後からオーナーから聞いた話では「いちばん、切羽詰まった顔をしていたから」と、笑っていた。

仕事を始めることに対して、沙絵や洪太は何の問題もなかった。朝の九時半から夕方四時まで。所詮、彼らのいない時間のことだし、そうすることで母親の自分たちへ向ける干渉が薄くなるなら、と、むしろ大賛成だった。

問題は夫の郁夫だった。

「働きに出たいだって？　その年で今更何を言ってるんだ」

「この年だから、働きたいの」

「金に困ってるわけじゃないだろう」

「働くのは、何もお金のためだけじゃないわ。私も少しは何かの役に立っているって実感したいのよ」

「だったら他人じゃなくて、もっと俺や子供の役に立てばいいだろう」

「だって、みんな家にいないじゃないの。あなたは寝に帰るだけ、沙絵はアルバイトと彼氏に夢中だし、洪太はサッカーしか頭にないんだから」

「暇を持て余しているんなら、もっとあっちの家に顔を出せよ」

あっちの家とは、郁夫の実家のことだ。

舅《しゅうと》の症状は少しずつ進行していた。アルツハイマーという診断が下ってから二年がたっていた。

「でも、あちらにはお義姉さんもいるわ」

その件になると、薫の声のトーンもつい低くなってしまう。もちろんそれは気になってい
る。月に三、四回は顔を出すようにしているし、両親の好きなお菓子や季節ごとの衣類を送
ったりもしている。郁夫が相続権を放棄したことで、責任という意味ではずいぶん気が楽だ
が、知らん顔を決め込むわけにはいかない。

けれど、時折、理不尽な気持ちにもなる。郁夫はそうやって薫を責めるが、郁夫自身はど
うなのだ。ここ半年で一回顔を出したくらいではないか。週末もいつも、ゴルフだ出張だと
仕事を言い訳にして行こうとしない。もちろん、男にとって仕事は大事だ。けれど自分の両
親ではないか。本当は、舅も姑も、薫より息子の郁夫が顔を見せてくれる方が嬉しいに決ま
っている。そのことがどうしてわからないのだろう。

それを口にしようとすると、郁夫はまるで薫の表情を読み取ったかのように、背を向け、
婉曲《えんきょく》な賛成の意を示した。

「まあ、どれくらい続くか知らないが、やってみればいいさ」

これ以上反対して、薫が堰《せき》を切ったように不満を言い出すことを想像したのかもしれない。

それは、正しい想像だ。

薫自身、時折、たまらない苛立ちに襲われることがある。普段は胸の奥の方でくすぶって
いるのだが、何かのきっかけで一気に爆発してしまいそうになる。これが更年期の症状のひ
とつだと健康雑誌に載っているのを読んだ時、何だかひどく腹が立った。すべて更年期に結

びつけてしまうなんて安易過ぎる。この苛立ちはそんなものじゃない。長い生活の中で、我慢してきたすべてのことが発酵し、ぷつぷつとガスを発生させ始めたのだ。更年期で終わらせてしまうのは、薫への、たぶん多くの主婦たちへの侮辱だと思う。

とにかく、郁夫の許可を得て、仕事を始めて四年がたった。

働くのは久しぶりで新鮮であり、また、もともと料理好きということで、毎日が楽しかった。

スタッフは総勢五人。いつの間にか、この中では上から二番目の立場になった。店長は五十五歳の女性で、あとの三人は三十代がひとりと四十代がふたりだ。

新宿のオフィス街とあって激戦区だが、界隈《かいわい》のＯＬたちの人気は高く、ランチは一時を待たずしてほとんど売り切れとなった。

自分の作ったものを、多くの客たちが列をなして買ってくれる。時には「この間のかぼちゃの煮付け、すごくおいしかったわ」などと言われると顔がほころんだ。張り合いというものがなくなった家族への料理とはまったく違った嬉しさだった。

店は午前十一時半に開店し、昼時の一時間は売りに専念し、それが終わって後片付け、明日の仕込みをして、特別のことがない限り、帰りはだいたい四時頃になる。

いつものように仕事を終え、エプロンをトートバッグに押し込めて帰り支度をしていると、めずらしくオーナーが顔を出した。

「笹原さん、ちょっといいかな」

「はい」

オーナーはまだ四十歳そこそこの若さで、いわば青年実業家というやつだ。もともとは商社マンだったらしいが、リストラで退職し、新しい事業を起こしたと聞いている。

こんなことを言っては何だが、オーナーは背が低く小太りでおまけに髪がかなり薄く、外見的には女にモテないタイプと言えるだろう。けれども、だからこそこれだけの店舗の女性スタッフをまとめてゆけるのだろうとも思えた。これが妙に格好のいいオーナーだったら、たぶん、あらぬトラブルが続出するに違いない。

オーナーに誘われるまま、近くのコーヒーショップに入った。

「実はね、近々、青山に十三号店を開店させようと思ってるんだ」

「そうなんですか」

薫は紙コップに入ったカフェラテを口に運んだ。

「で、そこを笹原さんに任せたいんだけど、どうかな」

「えっ」

思わずオーナーの顔を見た。

「私、ですか？」

「うん、どうだろう、やってみないか？」

すぐにはピンと来なくて、ぼんやりした。

私が新店舗を任される。店長になる。

「今の店より規模は少し小さいんだけど、店長となれば、レジからスタッフの管理、月に一回の店長会議にも出席してもらわなければならないし、レシピの提案もあるから、それだけ時間の拘束も長くなって、今までみたいに四時に帰れるってことも難しくなると思う。でも、この四年、笹原さんの働きぶりを見てきて、笹原さんなら任せられると思ったんだ。ただ、笹原さんにも都合というものがあるだろうし、とにかく打診ということで話だけはさせてもらおうと思ってね」

やりたい、と、思った。

何よりオーナーに認められたという嬉しさがあった。店長という責任は重いが、その分、やりがいがある。それから、家族のことが頭に浮かび、薫は紙コップをテーブルに置いた。

「すみません、返事は家族と相談してからでもいいでしょうか」

「もちろんです。よく話し合ってみてください」

その夜、薫は自宅で自分と洪太の夕食を作りながら、興奮と共に、どうにも理不尽な気持ちに包まれていた。

家族と相談する。

それをしなければ何ひとつ決められない自分はいったい何なのだろう。

もし、郁夫が昇格の内示を受けたらその場で受けるだろう。沙絵がやりたい部署に異動になっても、洪太がレギュラーの座を得ても、迷うことなく受けるだろう。三人とも家族にわざわざ相談などせず「こうなった」と報告するだけで終わる。

けれど、薫はそうはいかない。したいことでも、自分ひとりで決めてはいけない。子供たちはいいにしても、郁夫からは許しを得なければいけない。

許しを得る。

まるで郁夫の配下に置かれているみたいに。

本業が主婦だから？　結局は郁夫に養われている身だから？

薫に決められることといえば、所詮、新しい冷蔵庫はどれにしようかぐらいだ。いちばん重要な自分の人生については決められない。変だと思う。変だと思うが、やはりオーナーにすぐ「やります」とも言えなかった。

その夜、郁夫はずいぶん遅く帰って来た。それも相当酔っていて、やけに上機嫌だった。

こういう時に話せば、もしかしたら勢いで「いいよ」と言われるかもしれない。それを頭に置いて、

「何か食べる？　水茄子《みずなす》の漬物があるのよ」

などと、いつになく愛想よく言ってみた。

「そうだな、じゃあそれをつまみにもう少しビールでも飲もうかな」

いつもなら「もう、やめたら」と眉をしかめるのだが、今夜はすぐにグラスを用意した。

「私もちょっと、いただこうかしら」

そう言って、自分のグラスも持って薫はリビングのソファに腰を下ろした。

ぽりぽりと郁夫は水茄子を食べた。ビールも飲んだ。それから不意に箸を置いて、顔を向けた。

「あのな、薫」

「はい？」

「俺はさ、今まで何よりも仕事を優先して来たよな。毎晩帰りは遅いし、週末は接待と出張で明け暮れてた。家族を犠牲にしたこともたくさんあったと思う」

「どうしたの急に」

「でも、俺は考えを変えることにした」

「変える？」

「そうだ、これからは家族を中心とする生活を送ろうと思うんだ」

「え……？」

薫は瞬きして郁夫を見た。急に何を言いだすのだろう。冗談かと思った。郁夫が天井へと顔を向けた。

「おまえも、こんな俺が不満だったんだろう。うん、考えてみれば当然だ。料理だって作りがいがないよな。だから、これからは早めに帰って一緒に夕飯を食べるようにするよ。週末はそうだな、ふたりで温泉に行ったり、親父やおふくろのところに顔をだしたり、そういうことをしようと思うんだ」

「やだ、本当にどうしたの、何があったの？」

郁夫はソファに身体を預けた。

「別に大したことじゃないさ。ただ、今日、子会社に出向が決まっただけさ」

えっ、と、薫は喉《のど》の奥で小さく叫んだ。つまり、あれだけ望んだ重役の席をついに手に入れることができなかったのだ。戦いに敗れたのだ。

「今まで仕事ばっかりで、おまえや子供らにしてやれなかったことがいっぱいあったからな、それをこれからみんな取り戻すさ」

「私」

薫は思わず裏返った声を出した。今は言うべきではないと思った。けれども同時に、今、言わなければきっと言えなくなるとも感じた。

「私、今度、店長になるの」

口から出たのは「なっていい？」ではなかった。「なる」という宣言だった。

「何だ、それは」

「だから、私、今度店長になるのね。そうすると、仕事も今までと同じというわけにはいかないと思うの。だから、そのこと先に言っておこうと思って」

当然だが、郁夫はみるみる不機嫌に頬を強ばらせた。

「俺が言ったことへの、それが返事か」

「そういうわけじゃないんだけど……」

「じゃ何なんだ」

「だから、私は店長になりたいの。今までより時間は長くなるから、家を空けることも多くなると思うの。でもやりたいの。やらせて欲しいの」

「ふん」

「なっても、いい？」

「今更何を言ってるんだ、もう決めてるんだろ。やりたいならやればいいさ。おまえの人生だからな」

郁夫はソファから立ち上がった。全身から不愉快さが棘のように突き出ていた。

「寝るの？」

それには答えず、郁夫は乱暴に居間のドアを開けて出ていった。

† 乃梨子

休日に、久しぶりにデパートで買物をしていると、少し離れた場所から自分を見ている誰かがいることに気づいた。どうも中年のおばさんらしい。

「やだわ、誰かしら」

仕事柄、知り合いは多い。時々、女性誌に取り上げられたりもするので、知らない人に声を掛けられることもある。

乃梨子はショーケースのセーターに手を伸ばしながら、目の端でその中年女の動きを窺った。まだしつこくこちらを見ている。

声を掛けたいなら掛ければいいのに。

こんな見られ方がいちばん煩わしい。気になって買物も続けられない。乃梨子は思い切って、自分からその中年女に声を掛けることにした。

何かご用ですか？

言おうとして、びっくりした。

その中年女は、鏡に映っていた自分だったからだ。

年より若く見えるとよく言われる。お世辞とわかっていながらも、つい自分もその気になっていた。けれど、現実ははっきりと物語っている。もしかしたら実年齢よりかはいくつか若く見えるかもしれないが、そのいくつかの年齢を差し引いても、もう中年と呼ばれるに十分な年代となっている。

乃梨子は興醒《きようざ》めしたような気分になって、手にしていたセーターをケースに戻した。

オフィシャルな席ではいつもベーシックなスーツを着るが、カジュアルな服に関してはなるべく若い人たちのコーナーから選ぶようにしていた。年相応のファッションなんてしたとたん、それこそ一気に老け込んでしまいそうな気がした。もちろん、極端な流行を追うつもりはないが、ほどよい遊び心を持っていたいと思っていた。

けれど他人から見れば、それはやはり「いい年をして」ということになるのかもしれない。実際、今、鏡に映る自分を見て、どんなに頑張っても「勘違い」か「無駄な抵抗」か「単なる若造り」にしか見えないのかもしれないということに気づいてしまった。

買物をする気はすっかり失せていた。乃梨子は売場を出て、地下に下りた。

デパ地下を見て回るのは大好きだ。ここに来ると何だかとても楽しくなる。

ひとり暮らしでも、料理好きな人はいて、こまめに朝食や夕食、時には弁当まで作ったりもするようだが、正直なところ、乃梨子は苦手だった。若い頃はそうでもなかったはずだが、今ではキッチンに立つことさえ面倒臭い。

朝はシリアルと牛乳で済ませ、昼と夜はまず外食だ。家で食べるにしても、出来合いのものを買って帰るのがほとんどだった。

年齢からいっても、塩分や脂肪分、コレステロールなどのことも考えねばならず、家で手作りした方が身体にいいことはわかっていた。今までに何度か「これではいけない」と決心して、材料を買ってきて料理をしたこともあるのだが、ひとり分を作るというのは何と不経済で不合理なのだろうと、三日も続けるとため息が出た。

買い揃えた材料は徐々に傷み始め、メニューよりもそれをまずは食べなければならず、結局はいちばん新鮮でないものばかりを口にしていることになる。

そんなことを繰り返しているうちに、乃梨子は料理することをやめてしまった。少しぐらい高くついても、外食か惣菜《そうざい》を買って来た方がよほど合理的だからだ。

予定のないウィークディはもちろん、週末もほとんど惣菜や弁当で済ましている。最近のデパ地下は驚くほど充実しているので、無農薬有機野菜、低カロリー高蛋白質《こうたんぱくしつ》、食物繊維たっぷりの食事も、たやすく揃えることができる。

今夜もどうせひとりの夕食だ。テレビを観ながら、ビールでも飲み、気楽にゆっくりと食べようと考えていた。

石野とはもうずいぶん前に別れていた。

奥さんからの無言電話がひどくなったこともあるが、いつかは終わりを迎える関係だということも最初からわかっていた。

最終的に、別れのきっかけとなったのは、石野が検診で引っ掛かったことだ。

腸に腫瘍《しゆよう》があるとの結果が出て、石野は相当のショックを受けたようだった。幸い、精密検査の結果は良性と出てホッとしたが、当然のことながら、改めて妻や家族に対する有り難みを感じたらしい。

当然だと思う。結局、病気になった時に頼れるのは家族しかないのだから。石野から別れ話を切り出された時、乃梨子は彼を恨む気持ちなど微塵《みじん》もなかった。もちろん、何年かを共に過ごした男であり、それなりの寂しさと感傷はあったが、来るべき時が来ただけのことと納得する気持ちが先にあった。どちらかと言うと、あっさりしたものだったと言えるだろう。

それ以来、男とは縁がない日々を過ごしている。

今でこそ、心穏やかに暮らしているが、やはり石野と別れてしばらくの間は、老いてゆく恐怖と、孤独に苛《さいな》まれる一時期があった。肉体の欲望も含めて、誰かにそばにいて欲しいという思いが強く湧き上がり、どうにも追い詰められた気持ちだった。

けれどもそれも、半年一年と過ぎるに従って、ひとりの生活にも慣れるようになっていた。去年の夏、生理が来なくなった。それからいっそう、身体そのものに凪《なぎ》が訪れたような静けさが広がって行った。

閉経については、さまざまな終わり方があるらしいが、乃梨子の場合は、ぱたりと来なくなった。

それを迎えた時、女性によっては「これで自分は女として終わったんだ」と激しく落胆するらしいが、乃梨子はそれほどでもなかった。もともと生理は重い方で、若い頃から苦労してきた。これで旅行の日程をたてるにも、白いパンツをはくにも、いちいち気にしなくていいと思うと、むしろ気が楽になった。ただひとつだけ、せっかくの機能を一度も使うことなく終わらせてしまった身体に対して申し訳ないような気分があった。

更年期特有の症状もあまり見られず、今のところ、健康に暮らしている。ただ、少し太り始めたのが気にかかっていて、食事もカロリーを気にするようになっていた。そんな意味でもデパ地下の惣菜や弁当は種類が豊富で助かっている。

ローファットのドレッシングを使ったサラダを包んでもらっていると、不意に肩を叩かれた。

「あら」

顔を向けて、びっくりした。

「久しぶり。さっきから、似た人がいるなぁってずっと見てたの。そしたらやっぱり乃梨子だった」

薫が立っている。

「やだ、ほんと。どうしてた？　元気だった？　何年ぶりかしら」

「最後に会ったのが、そうそうベトナム旅行を紹介してもらった時だから、もう五年くらいたつわ」

「そうね、そうなるわよね」

それから、乃梨子は薫の隣りに立つ若い女性に目をやった。

「もしかして、沙絵ちゃん？」

彼女が頷く。乃梨子の口から思わずため息が洩れた。

「あの沙絵ちゃんが、こんな大きくなって……」

薫がいくらか母親らしい誇らしさで目を細めた。

「今年から社会人になったのよ」

乃梨子は頷き、しみじみと沙絵を眺めた。

「そう、社会人なの。時間がたつのは早いわねえ。覚えてないでしょうけど、小さい頃のあなたを何度も抱っこしたのよ。おむつだって替えてあげたんだから」

沙絵が首をすくめて小さく笑った。

「母からおばさまのことはよく聞いています」

「あら、そうなの？　困ったわ、どんなふうに聞いてるのかしら」

沙絵がちらりと母親に目を向けた。

「母とはまったく違う生き方を選んだ女性だって」

乃梨子は薫と目を合わせた。

「そうね、結局はそういうことになるわね」

生き方からすれば、確かに対照的と言えるだろう。結婚もせず仕事に生きてきた乃梨子と、家族の中でだけ生きてきた薫。

「ねえ乃梨子、今から時間ない？　少し話したいわ。よかったらどこかでお茶でも飲まない？」

薫が言った。

「いいけど、そろそろ夕食の支度の時間じゃないの？」

「この子に任すから」

薫は手にぶら下げていた紙袋を、沙絵に差し出した。

「じゃあこれを持って先に帰ってね。お父さんと洪太の夕食は頼むわ」

沙絵が少し不満そうな顔をする。薫は母親らしい口調になった。

「いいじゃないの、何も料理を作れって言ってるわけじゃないんだから。買ったものをテーブルに並べるだけでしょ。普段、何もしてないんだから、こんな時ぐらいお母さんと交替してよ」

乃梨子の前で叱られるのを気まずく思ったのだろう、沙絵は紙袋を受け取るとぺこりと頭を下げ、エスカレーターへと急ぎ足で向かって行った。

「いいの？」

「いいのよ、こんなこと、めったにないんだから」

それからふたりはデパートを出て、近くのティールームに入った。

こうして改めて薫を見ると、前に会った時よりも若々しく華やいでいることに、乃梨子は気がついた。あの時は、いかにも箱入り奥様という雰囲気だったのが、口調や仕草にどこか世慣れた雰囲気が備わっている。

薫の話を聞いて、やっぱりと思った。

「今ね、青山のランチショップの店長をやってるの。小さなお店よ、スタッフは三人だもの。でもね、売り上げは結構いいのよ、若いOLたちに人気があって、毎日、行列ができるのよ」

自分にも言えることだからわかるのだが、働く女、それもある程度の責任を背負わされた女には、言葉の端々に、どこかしら押しの強さというものが備わってゆく。

「家庭との両立じゃ大変でしょう」

皮肉ではなく、乃梨子は言った。今では乃梨子の事務所にも、結婚して子供を持つ女性社員がいるが、やはり独身女性に較べると、どうにも疲れた顔をしている。

「少しはね。でも、もう子供たちも大きくなって、以前ほど手が掛かるわけじゃないから」

「洪太くん、いくつだっけ？」

「十三歳よ」

「ああ、もうそれくらいならね」

「もう母親なんかいらないみたい。サッカーさえあればそれでいいって感じ。今、いちばん手が掛かるとしたら夫かしら」

そう言って、薫はシナモンティーのカップを口にした。

「濡れ落葉状態になるには、まだちょっと早いんじゃない？」

冗談めかして乃梨子が言うと、思いがけず、ストレートな薫の目とぶつかった。

「こんなこと、乃梨子に言うのも何だけど、郁夫、役員に残れなかったのよ。今は子会社に出向の身よ。乃梨子ならわかると思うけど、早い話、会社側はいつでも辞めてくれって言ってるのと同じなのね。でも、まだ洪太の進学や沙絵の結婚もあるし、辞めるってわけにもいかないでしょう。郁夫のつらい気持ちもわかるんだけど、やっぱり働いてもらわないとね」

乃梨子は黙った。まさか、あの郁夫がそんな状況に追い込まれているとは想像もしていなかった。そしてまた、そんなことを薫の口から聞かされるとも思っていなかった。

「今は毎日七時には家に帰って来るのよ。週末はゴルフも出張もなくて家でゴロゴロしてるだけ。時々、舅や姑の家に行くけどすぐに帰って来るし。で、今は私がお勤めに出てるでしょう。時には遅くなることもあるのね。そうすると、今まで自分はあんなに毎晩遅かったのに、私にはネチネチ嫌味を言ったりするの。何だかね、そういう郁夫を見てると、失望するっていうか、こういう人だったのかなぁって、ちょっと悲しくなっちゃったりするのよね」

「そう、大変ね」

「そうなの、いろいろと大変なの」

乃梨子は郁夫のことを言ったつもりだったが、薫は自分のことと受け取ったようだった。

それにしても。

と、乃梨子は再び薫を見た。かつての薫なら、こんなことは決して言わなかっただろう。薫にだって見栄があるはずだ。乃梨子の前では、いつだって夫は前途洋々で、夫婦仲睦まじく家庭円満をさりげなく誇張していた。

「乃梨子とは較べものにならないけれど、私もようやく、仕事とか、責任とか、人を使うことの苦労がわかってきたわ」

「そう」

乃梨子はコーヒーを口に運んだ。

たぶん、それだけ薫は今、自信に満ちているのだろう。もう家庭しかない自分ではない。自分なりの仕事、自分なりの生き方を持っているということを実感しているのだろう。

「乃梨子の方はどう？　会社は順調？」

「おかげさまで、何とかね」

「不景気とかテロとか戦争とか、ウィルスとか感染とか色々あって、海外旅行に出掛ける人も随分と減ったなんて聞くけれど、影響はないの？」

「ないわけじゃないけど、こういう時こそ、小回りの利くうちみたいな会社が実力を発揮できるチャンスだから」

それからしばらく話し込んだ。

かつては、夫や子供の話、舅姑への不満、近所付き合いの愚痴、といった内容がほとんどだったが、薫はよほど今の仕事に夢中なのだろう。人間関係から、店舗同士の競争、新しいメニューのことまで、よどみなく喋り続けた。

乃梨子は半ば呆れ、そうして半ば羨ましく思いながら、話を聞いていた。自分もかつては、こんなふうにまっすぐな情熱を仕事に注いでいたはずだった。

結局、二時間ほども話し込んでから別れた。帰りぎわ今度はどこかで食事でもしようと約束した。

乃梨子はタクシーに乗り、シートに身体を沈めた。

会社が順調というのは嘘だった。厳しい状況が続いていた。おまけに先月、自分の右腕と信頼していた社員に独立されたばかりだった。それも、優秀な若手の社員を三人も引き連れて行った。

見栄を張っているのは自分の方だった。

もうすっかり日は暮れ、乃梨子は車窓を流れる夜の光をぼんやり見つめていた。

† 薫

玄関に郁夫の靴があるのを見て、薫は思わずため息をついた。

まだ七時前だというのに、もう帰っている。

どんな不機嫌な顔で待っているか、すぐに想像がついた。たぶん背広もシャツも靴下も脱ぎ捨てて、ランニングシャツとパンツ姿でソファにだらしなくもたれ、ビールを飲みながらテレビを観ているのだろう。

沙絵も洪太も、最近、帰りは毎日八時過ぎと決まっていた。誰もいない家に、ひとりで帰って来るのは侘《わび》しい思いもあるかもしれないが、今まで、十分に家族を待たして来たのだ、逆のことがあっても仕方ないとどうして思えないのだろう。

薫にしても、郁夫をただ「おかえりなさい」と迎えるためだけに家に縛られるのはたまらない、と思いながらも、精一杯の愛想笑いを浮かべて居間に入った。

「ごめんなさいね、遅くなって。すぐ夕食の用意をしますから」

郁夫の顔は見ないようにした。不機嫌な顔を見るのは薫もうんざりだ。薫だって本当はそんな卑屈な言い方はしたくない。何も遊んで帰ったわけじゃない。疲れているのは薫も同じだ。

三ヵ月ほど前、一度、激しい夫婦喧嘩をした。店長会議の帰りが遅くなり、駅に着いたのが八時を回っていて、今から夕食を作る気力などとてもなくコンビニで買った弁当を持って帰った時だった。

「こんなもの食えるか」

と、郁夫は乱暴に突っ返した。

「飯もろくに作れないなら、仕事なんか辞めてしまえ」

さすがに薫もカッと来た。

「これまで、あなたのためにどれほど夕食を無駄にして来たか知ってるの。今は私だって働いてるのよ、少しぐらい協力してくれたっていいじゃない」

「たかがあれくらいの稼ぎで、働いてますなんてエラそうな顔をするな」

「でも、あなたの減った手当ての分にはなってるはずよ」

郁夫は言葉に詰まり、やがて顔を赤くして居間を出て行った。それから十日以上も口をきかなかった。

そんな気まずさを経験したせいもあり、下手に出るのは本意ではないがしょうがないと思っている。形だけでも殊勝な態度でいれば、郁夫の気持ちもいくらか収まるのだから仕方ない。

ふたりでほとんど会話もない夕食を済ませ、郁夫はさっさと寝室に向かった。後片付けを終えた頃、洪太が帰って来た。再び夕食の準備をしていると、洪太がそばに来て言った。

「あのさ」

「なに？」

「高校進学のことなんだけど」

「あら」

薫は手を止め、洪太に顔を向けた。自分から進学のことを口にするなんてめずらしい。

「何かあったの？」

「僕も僕なりに考えたんだ」

「へえ、いいことじゃない。それで志望校なんか決めたの？」

「うん」

「どこ？」

「僕、留学したい」

思わず目をしばたたいた。

「え……」

「やっぱりダメかな」

「留学って、どこに」

「イギリスかブラジル。サッカー留学したいんだ。将来はプロ選手になりたい」

すぐに言葉が出なかった。正直なところ、何を夢みたいな、という思いが先に立った。洪太は中学二年になり、確かにジュニアサッカーの世界ではそこそこ認められているようだが、まさか留学だなんて、プロだなんて。

けれども一笑に付すわけにもいかない。

「それはとっても大事なことだから、まずはお父さんと話してみなさい」

「もし、お父さんがいいって言ったらいい？」

「そうね、それはまたよく話し合ってみるわ」

「お父さんは？」

「今日はもう寝ちゃったわ」

「そっか」

それから洪太はいつものように夕食を食べ、風呂に入り、洗面所に山のような洗濯物を残して、自分の部屋に帰って行った。

郁夫は何て言うだろうか。薫は二度目の後片付けをしながら考えた。

洪太がジュニアサッカーで注目され、私立の中学から声が掛かった時、郁夫はあまり喜ばなかった。郁夫の考えはこうだ。

「スポーツ選手なんて、怪我をしたらそれで終わりなんだぞ。俺の同級生にもいたよ、甲子園からドラフトにかかって華々しい注目を浴びたけど、二年後には怪我で引退だ。噂によるとヤクザの用心棒になって、その後は消息不明だってことだ。そんなもんなんだよ。結局、つぶしが利かないんだ。将来のことを考えても、サッカーだけしかないような人生にはさせたくない。それとは別に、ちゃんとした教育も身につけさせないとな」

薫もそう思った。プロの選手になれる可能性は低いし、たとえなれたとしても、選手生命は短い。テレビやスポーツ新聞に取り上げられなくなった選手たちの行く末はいったいどんなものかと考えると、積極的な思いにはなれなかった。

ましてや留学だなんて。

まだほんの子供の洪太を手元から離し、外国にやるなんて考えたこともなかった。だいたい、留学なんてどれくらいの費用がかかるのだろう。

けれど、頭ごなしに反対することもできない。とにかく洪太はサッカーに夢中なのだから、だめにしても、できるだけ傷つけないよう納得させたい。

十二時近くになって、沙絵が戻って来た。

かちゃりと玄関のドアが開き、そのままこっそりと階段を昇ろうとする沙絵を、薫は呼び止めた。

「ただいまぐらい言ったら？」

ドアの向こうで、沙絵が短く答えた。

「ただいま」

「毎日毎日こんなに遅いのはどんなわけ？」

「夕飯はいらないって、朝、言ったじゃない」

「そういうことじゃないの」

沙絵がドアから顔を覗かせた。

「私だって、会社の同僚と食事したりとか、大学の時の友達と会ったりとか、いろいろあるの」

薫は小さく息を吐いた。沙絵ももう二十三歳だ。母親に隠しておきたいこともたくさんあるのだろう。

「お風呂、すぐ入れるわ」

「うん、じゃ、おやすみ」

「おやすみなさい」

薫だって、沙絵の年頃の時、遊びたくてしょうがなかった。今考えると、何が面白かったのだろうと首を傾げてしまうが、友達とのお喋りに時間を忘れたものだ。

恋人もたぶんいるのだろう。学生時代に家に連れて来た男の子の中のひとりだろうか。それとも社会人になってから知り合ったのだろうか。まさか不倫なんて馬鹿げたことはしていないと思いたいが。

結局、同じことを繰り返しているだけなのだ。親と同居の分、むしろ、沙絵の方がまだハメをはずしてないかもしれない。

薫は若かった頃の自分を思い出して苦笑した。

週末、郁夫にごろごろされているのはうんざりだった。

ただ、ごろごろしているだけで、薫を手伝おうなんて気はまるっきりない。

洪太は相変わらずサッカーの練習に、沙絵も出掛けてしまい、大概、家にはふたりきりとなる。

薫はたまった洗濯や掃除といった、ウィークディにできなかったことをみんなやってしまいたいのだが、郁夫の朝昼晩の食事を作らなければならないし、とにかく、そこにいるだけで鬱陶しい。

何か楽しめること、たとえば囲碁とか絵画とか庭いじりとか、パチンコや競馬でもいいから、そういうものがあってくれればと思うのだが、仕事ひと筋でここまで来た郁夫にはほとんど趣味らしいものがなかった。

それでいて「おい、コーヒー」「おい、灰皿」「爪きりはどこだ」「腹が減ったな」と、こんな調子で次から次と用事を言い付けられるので、何をしてても手間がかかってしょうがない。

「自分でやればいいでしょ！」

と、叫びたい気分になるが、そこはやはり、外で働かせてもらっているという思いと、不本意な出向をさせられている郁夫を労わる気持ちもあり、我慢して言うことを聞くようにしている。

「おーい」

風呂掃除をしていた薫を、郁夫が呼んだ。仕方なく居間に行くと、もう昼過ぎだというのに、まだパジャマのままの郁夫がソファに寝転がりながら、ダイニングテーブルを指差した。

「新聞」

起き上がって五歩も歩けば、手にすることができる距離ではないか。薫は思わず言い返そうかと思ったが、言葉を呑み込んだ。

郁夫もつらいんだ、もう威張れる相手は私だけなんだから。

と、自分を何とかなだめて、新聞を渡した。

「ああ、そうだ、洪太のことだけど」

新聞を受け取りながら、郁夫が言った。

「洪太の何？」

「留学のことだよ。俺はいいって言ったからな」

びっくりした。

「いいって、どういうことよ」

思わず郁夫の前に立ちはだかった。

「だから、サッカー留学したいならイギリスでもブラジルでも好きなところに行けって言っておいた」

「だってあなた、スポーツ選手なんて怪我したらつぶしが利かない職業だって言ってたじゃない」

「それでもサラリーマンよりかはマシさ。会社に就職すれば一生安泰なんてことはもう幻想なんだ。頼れるのは自分の力だけさ。洪太には好きな人生を好きなように生きてほしいんだ」

薫は怒りで身体を熱くした。

洪太の留学を反対するわけじゃない。ただ、そんな大事なことを一人勝手に洪太に告げ、それを新聞を受け取ったついでに薫に告げるなんて、いったいどういうことなのだ。妻の意見なんて、母親の思いなんて、どうでもいいってことなのか。

「何なのよ、それは」

薫は郁夫から新聞をひったくり、顔に向かって投げ付けた。

「洪太はあなただけの子供じゃないのよ。勝手にひとりで決めないでよ。だいたい、今のあなたが父親なんてエラそうな顔できると思ってるの？　何よ、毎日、小姑みたいにネチネチ私に八つ当たりばかりして。もう、いいわ。あなたが私をそこまでないがしろにするなら、私も同じことさせてもらいます。これから、自分のことはみんな自分でしてください。仕事もヒマになって、時間はいっぱいあるんでしょ。もうあなたのことなんて知りません」

郁夫の頬が強ばってゆく。言い過ぎたかもしれない、と思ったものの、薫も後には退けなくなっていた。

「ひどいでしょう、こんな話ってあると思う？　わかってるの、結局、自分が仕事がうまくいかなくなったのに、私が店長なんて任されたものだから機嫌が悪いの、妬《や》いてるのよ。だから権力を示したくって、洪太に勝手に了解を出したりするの。今時、妻は家で夫と子供の面倒だけをみてればいいんだなんて、時代錯誤もいいとこだわ。それが郁夫にはわからないのよ。郁夫があんな男だなんて思ってもみなかったわ。最近、熟年離婚が流行《はや》ってるっていうけど気持ちがよくわかるわ。私も考えるもの」

「だったら離婚すれば」

受話器の向こうから、思いがけず乃梨子からばっさりと切り捨てるような答えがあって、薫は一瞬、黙った。

「何も、そんな言い方しなくたって……」

いくらか抗議の意思を込めて言った。

「できないなら、そんな簡単に離婚なんて言葉を口にするものじゃないわ」

まるで自分だけが分別というものを知っているというような言い方に聞こえて、かちんと来た。

「乃梨子にはわからないかもしれないけど」

「ええ、わからないわ。薫、結婚する時、何て言ったか覚えてる？」

「え……何か言った？」

「私は彼のサポート役に徹したい。そう言ったのよ」

「そうだったかしら」

もう二十五年も前のことだ。思い出せるわけがない。

「それ聞いた時、すごいショックだったわ。何もかも捨ててひとりの男の胸に飛び込むなんて、私にはとてもできないと思ったもの」

「あの時はそう思っていたかもしれないけど、今はもう、あの時の私とは違うのよ。人は変わるわ。変わって当たり前でしょう」

「薫はそう言うけど、自分が勝手に変わっておいて、変わらないからって夫が非難されるのって、ちょっと違うんじゃないかしら？　夫にしたら、約束が違うって言いたくなって当然だって思うけど」

頬が強ばった。

「乃梨子も郁夫と同じこと言うつもり？　たかだかその程度の給料しか取れないくせに働いてますなんて大きな顔をするなって」

「ふうん、郁夫さん、そういうこと言うんだ」

「そりゃあ確かに給料は少ないけれど、お金のためばかりに働いているわけじゃないわ」

「じゃあ、何のため？」

「もちろん生きがいよ、やりがいよ。大切なのはそういうことでしょう」

電話の向こうで、乃梨子がため息をついた。

「やっぱり所詮は奥様の趣味の延長ね。仕事はね、そんなものじゃない。責任なの。わかる？　自分の満足のためにやるものではなくて、社員たちをどう守ってゆくか、そういうことなの」

薫は黙った。

「馬鹿みたい」

「何が？」

「結婚したこともないあなたに、結婚生活がどんなものか、妻とか母親とか主婦とか、そういう立場の者がどんな気持ちでいるか、どれだけ言ったってわかるはずないわ。ほんと馬鹿みたい、そんなあなたに愚痴ったりして」

「そうね、確かに相手を間違えてるわ。私にしたらいつでも逃げ込める家族というバックグラウンドを持ちながら、仕事をしてますなんてよく言えるものだって呆れてしまう。そういう話は、近所の同じ立場の主婦とするべきじゃないの」

「いいわ、わかった、もういい」

「じゃあね」

「じゃ」

薫は乱暴に受話器を置いた。

郁夫との争いよりも、いっそうひどく落ち込んでいる自分を感じながら、電話に手を乗せたまま薫は怒りと屈辱で身体を震わせた。

† 乃梨子

乃梨子もまた受話器を乱暴に置いた。

すっかり腹を立てていた。

主婦の愚痴はどうしてみな同じなのだろう。結婚したのも、子供を産んだのも、すべて自分が望み選んだことなのに、思いどおりにならないと、それを忘れてみな夫と子供のせいにする。

自分の気持ちがわかってもらえない、何をしても報われない。かわいそうな私。主婦なんて家族の犠牲なんだから。

腹が立つというより、呆れてしまう。どうしてそこまで自己中心的にしか物事を考えられないのだろう。社会の中で、主婦という立場がどれほど守られているか。

若い頃は散々、将来性のある郁夫と結婚したことを自慢そうに惚気《のろけ》ていたではないか。子供に恵まれ、一軒家を持ち、実際、郁夫も順調に出世し、意気揚々とそのことを報告していたではないか。独身を続ける乃梨子に対して、同情のような、見縊《みくび》りのような思いを抱いていなかったとは言わせない。

ところが、子供が大きくなって手がかからなくなり、逆に、夫がリストラにかかって煩わしくなり始めると、急にやりがいや生きがいを口にして「自立」を宣言する。

働くことはもちろん悪いとは思ってないし、反対する気もないが、健康保険や年金は扶養家族になり、税金もひとり暮らしが払うべき金額も払ってないのに、よく「私だって働いてます」という顔ができるものだと笑ってしまう。

もっとわからないのは、それを主婦同士の会話に留まらせず、本当に必死に働き、自立して生きて来た乃梨子のような相手に向かって堂々と口にするその心理だ。「そうね、あなたの言う通りだわ」と、本気で同調してもらえるとでも思っているのだろうか。

甘えている。

乃梨子から見れば、そうとしか言いようがない。

さっきの電話で、あそこまではっきり言えば、薫も二度と連絡をよこしたりはしないだろう。

これでいい。所詮、主婦と同じ目線で話ができるわけがないのだ。

考えてみれば、最初から薫とは友達でも何でもなかったのかもしれない。もともと乃梨子が郁夫に好意を寄せていることを感じながら、いや、感じたからこそ、横からさっさと奪い取っていったような女なのだ。どうして、そんな薫とこんなに長く付き合うことになったのだろう。
もういい、もう関係ない。
そう決めると、どこかすっきりした気持ちになった。

age.60

† 乃梨子

それから数年が過ぎた。

不況続きで売り上げは落ちる一方だが、それでも何とか経営を続けられているのは、幸運と言えるかもしれない。

独立した時は、女性起業家などと注目もされ、期待もされた。自分もすっかりその気になって、女性誌のインタビューを受けたり、時にはワイドショーのコメンテーターまで引き受けたりしたものだ。

三十九歳で会社勤めを辞め、由樹と出会って仕事を始め、やがて自分の会社を持ち、本当の意味で独立してから十七年になる。

頭の中では年商十億くらいの女社長となり、高級マンションに大型犬と共に暮らし、さりげなく高級ブランドの服や装飾品を身に着け、週末や休暇は年下の恋人と南の島の別荘で過ごす……などという都合のいい夢を描いていたが、現実は足元にも及ばなかった。

毎月、社員の給料をちゃんと出せるかハラハラし、新しかったはずのマンションはずいぶん古び、自分の面倒をみるのが精一杯でペットを飼う余裕などまったくなく、服も装飾品もリフォームを繰り返し、週末も休暇もなく働き回っている。もちろん、年下の恋人などできる年でもなくなった。

六十歳だものね。

自分にそんな年齢が来たことにまず驚いてしまう。時間はすべて人に平等に与えられたもののはずなのに、自分だけが短く感じられるのはなぜだろう。

何も若さだけにしがみついて生きてきたつもりはない。年をとることは自然なこと、当然なこととして受け止められるくらいは大人になったつもりでいる。ただ意外だったのは、若い頃に想像していたより、六十歳は決して成熟した人間ではないということだ。もちろん、いい意味でも、悪い意味でもだ。そんな自分にがっかりし、同時に笑ってしまいたくなる。とにかく、今は『華やかな女性起業家』ではなく『中小企業の女社長』という肩書きがぴったりの自分だった。

「社長、面接して欲しいって人が来ているんですけど、どうしましょう」

社員が、ドアから顔を覗かせた。

「面接って、うち、社員募集なんてしてないわよ」

「ですよね。勝手に来たみたいなんです」

社員も困った顔をしている。

「丁寧にお断りしてちょうだい」

「わかりました」

時折、こんな人間がやって来る。困ったものだと思う。不況で働き口がないのはわかるが、飛び込みで面接に来られてもこちらの都合というものがある。

しばらくすると、また社員が顔を見せた。

「あら、どうしたの」

「それが、どうしても社長と会って話がしたいと言うんです」

乃梨子は息をついた。

「どんな人？」

「三十歳くらいの女性です。見た目は普通のＯＬって感じです」

「仕方ないわね。まあ、いいわ、応接室に案内して」

たまたま手があいていたということもあり、乃梨子は椅子から立ち上がった。

会うのは面倒だが、そんな女性はいつか大切な客になる可能性もある。そう邪険に扱うわけにもいかない。

前に一度、面接を断って逆恨みされ、悪戯《いたずら》電話やインターネットで悪口を掲示されたことがあった。人気と信用で持っている商売は、いろいろと気を遣わなければならない。

応接室に入ると、女性が立ったままで待っていた。面接に来ながら堂々と上座に座る若い子もいる中では珍しく礼儀正しい。きっと家庭の躾《しつけ》がちゃんとしているのだろう。

「どうぞ、お座りください」

乃梨子はにこやかに言って、彼女をソファに座らせた。

チャコールグレイのジャケットに白のニット、明るめのグレイのスカート。シンプルだがセンスのよさが感じられる。髪はやわらかな茶色、ナチュラルなメイク。真っすぐに乃梨子に向ける眼差しは、意志の強さが感じられた。

「突然、押し掛けまして申し訳ありません」

彼女は丁寧に頭を下げた。

「いいんですよ、気にしないでください」

乃梨子が答えると、いくらかホッとしたようにほほ笑んだ。すると両頬に笑くぼが見えて、乃梨子はふと、懐かしいような気持ちになった。どこかで会ったような気もするが、気のせいかもしれない。

「申し訳ないけれど、うちは今、社員募集をしてないんですよ。だから、あなたの希望を叶えてあげることはできないんです」

「無理は承知でお伺いしました。一生懸命働きますので、どうか雇っていただけないでしょうか」

「そう言われてもね……今は何をなさってるの？」

「勤めています」

「どちらに？」

彼女は一流と呼ばれる家電メーカーの名前を口にした。

「そんないいところにお勤めなのに、どうしてまた。うちとじゃお給料も待遇も天と地の違いよ」

「でも、いくらお給料がたくさん貰えても、毎日が少しも楽しくないんです。確かに、大学を卒業する時は条件のいい会社を探しました。希望が叶って入社できて嬉しかったのも確かです。でも、私は会社に入るということと、仕事を持つということの違いを何もわかっていませんでした。私は仕事がしたい、どうせ仕事をするなら好きな仕事をしたい、ようやく、そう思うようになったんです」

「その気持ちはわかりますけどね、私も転職した口だから。あなたより、もう少し年上だったけれど」

「知ってます」

「あら、そう」

「昔のですけど、女性誌のインタビュー記事を読みました」

「あらあら、よくあったわね、そんなもの」

「私も旅行が大好きなんです。たくさんの人に、世界にはこんな素晴らしい場所があるってことを知ってもらいたいんです。お願いします。せめて、しばらく見習いをさせてください。その間、お給料はいりません。それで駄目なら、どうしても駄目なら、その時は諦めます」

「だって、あなた、会社は？」

「実は、今日、辞表を提出して来ました」

乃梨子は呆れ果てた。

「そんな無謀なことを」

「すみません。そうでもしないと、前へ進めないような気がして」

乃梨子は彼女を眺めた。

三十歳。迷う年頃だろう。結婚に、仕事に。これでいいの？　このままでいいの？　こんなものなの、私の人生。

乃梨子はふと切ない思いにかられた。

いつの時代も、女は迷いながら生きている。揺れながら、不安に包まれながら、それでも自分にふさわしい生き方を選びたいと必死に考えている。

いつか、頷いていた。

「そう、あなたの気持ちはよくわかったわ。じゃ、まずは三ヵ月のアルバイトということで来てもらおうかしら。仕事ぶりを見せてもらって、それからもう一度、面接ということにしましょう。それでいい？」

「もちろんです。がんばります。ありがとうございました」

彼女は立ち上がって顔いっぱいに笑みを浮かべ、深々と頭を下げた。

その時になって、ようやく気づいた。

「あら、いやだわ、まだあなたの名前も聞いてなかったわね」

「私、笹原沙絵と言います」

乃梨子は改めて目を向けた。

「え、笹原……？」

「おばさま、お久しぶりです。私、薫の娘です」

声が出なかった。


「断ってちょうだい」

久しぶりで聞く薫の声は硬く強ばっていた。

「本当に、親の気持ちも知らないで、勝手に会社は辞めるわ、あなたのところに就職を頼みに行くわ、さっき聞いてびっくりしたわ」

「いいお嬢さんじゃないの、見違えちゃったわ」

「とにかく、断ってちょうだい」

「どうして。私の会社じゃ不満？　そりゃあ、前に勤めていた会社に較べれば月とすっぽんだろうけど」

「気を悪くしたなら謝るわ。でも、そんなことじゃないの、あの子、あなたに何をどう話したかしらないけれど、色々と問題を起こして、会社を辞めるしかなくなったの。本当にもう、小さい時は手のかからないいい子だったのに、こんな親不孝なことして……」

薫の声に湿っぽさが加わった。

「何があったの、いったい？」

「いいのよ、乃梨子には関係のないことだから。どうせ主婦の愚痴でしかないんだから」

「あの時のこと、まだ怒ってるのね」

薫は一瞬、黙った。

「もう忘れたわ。とにかく、乃梨子のところで働かせるつもりはないの。断ってやって」

「それで、どうするの」

「しばらくはうちで花嫁修業させて、お見合いでもさせるつもり」

乃梨子は呆れて言い返した。

「もう沙絵ちゃんは子供じゃないのよ。そんな親の都合どおりにできるわけないじゃないの」

「いいのよ、あの子にはそれがいちばんなの。沙絵のことは家族の問題なの、家族で解決しますから、とにかく採用しないで」

後は何を言ってもその一点張りで、取りつくしまもなかった。


「ご迷惑をお掛けして、申し訳ありませんでした」

翌日、沙絵が再び会社にやって来た。

「それで沙絵ちゃんはどうするつもりなの？」

乃梨子はデスクに肘をつき、組んだ指先に顎を乗せて、沙絵の表情を窺った。

「私の決心は変わりません。母とは昨夜、かなりやりあいました。こうなったら、家を出てもいいと思っています」

「そこまで決心してるのね」

「はい。ですからお願いです。ここに来るのを駄目だなんておっしゃらないでください」

乃梨子は頷いた。

「もちろん、そんなことを言うつもりはないわ。でもね、できることなら円満に解決して欲しいのよ。方法は他にないの？」

沙絵は足元に目線を落とした。

「無理です。母はもう私に失望してますから」

「失望？」

「この間、私は仕事をしたいって言いました。自分の好きな仕事がしたい、だから会社も辞めたって」

「ええ、確かに。違うの？」

「その気持ちは本当です。でも、会社を辞めたのはその理由だけではないんです」

乃梨子は沙絵を見て、静かに首を振った。

「いいのよ、言いたくないことを無理に言う必要はないわ」

「いいえ、話させてください。その方が私も気持ちが楽になります」

そうして沙絵は短く息継ぎをした。

「私、不倫してたんです。同じ会社の人です。その人と結婚できるって信じてました。でも、その人の奥さんに知られて、うちに押し掛けられたんです。親の躾がなってないから娘がこんなふしだらに育ったんだって言われて、両親はもう言葉もなくて、母には泣かれるし、父には殴られるし……すべては、それがきっかけです」

「彼は？」

「結局、奥さんのところに戻りました」

うつむく沙絵を乃梨子は眺めた。沙絵の中に若い頃の自分が透けて見えた。

「そうだったの」

「黙っていてすみませんでした」

「沙絵ちゃん、きっかけなんて何だっていいと私は思うわ。大切なのは、そのきっかけをちやんと摑めるかということ」

沙絵がわずかに顔を上げた。

「明日から間違いなくうちにいらっしゃい」

「いいんですか」

「ただ、コキ使われるから覚悟して」

「はい」

たぶん、涙を見せまいとしてだろう、沙絵はきゅっと唇を引き締め大きく頷いた。

†薫

この年になって、こんな躓《つまず》きに見舞われるなんて思ってもみなかった。

小さな不満は数限りなくあっても、概《おおむ》ねのところでは可とすべき人生と、自分を納得させて来た。なのに、誰もかれも、どうしてこうも身勝手なことばかり言い出すのだろう。

夫の郁夫は四年前に定年退職を迎え、今は第二の就職で製紙会社に勤めているのだが、あと一年でそれも退職となる。そうしたら都会を引き払って田舎暮らしがしたい、などと言い出した。畑で野菜や果物を作りたいのだそうだ。寝耳に水の話で、薫はただもう驚くばかりだ。

中学を卒業すると同時にイギリスにサッカー留学した息子の洪太は、相当頑張ったようだがやはり道は厳しく、プロチームに所属することができなかった。これでてっきり戻って来ると思っていたのに、何と就職まであちらで決めてしまった。プロサッカーのエージェント会社だという。これで日本に戻れる可能性はほとんどない。今時「長男なのに」と言うのは時代遅れかもしれないが、ぼんやりと息子夫婦や孫たちと行き来する生活を描いていた薫には、やはりショックは拭えない。

そして、何より沙絵のことがある。

小さい時から聞き分けがよく、手がかからず、信頼しきっていた沙絵が、会社で不倫をしていたと知った時の衝撃は何と言ったらいいだろう。

その不倫相手の妻という女が家に乗り込んで来て、薫と郁夫を前にして「いったい、おたくは娘さんにどういう躾をなさって来たんですか」と詰め寄られた時は、ただもう、驚きと情けなさで言葉も出なかった。

あの沙絵がそんなことをしでかすなんてきっと何かの間違いに決まっている。そう信じて沙絵に確かめると、驚いたことに沙絵は認めたのだった。

郁夫は怒りで沙絵を殴った。薫は必死で止めたが、失望感から身体《からだ》からすっかり力が抜けていた。

そのことで退職した沙絵は、今度は乃梨子の会社に就職したいと言い出した。

それにもまた頭を抱え込んだ。よりによって、どうして乃梨子の会社なのだ。

数年前に電話で争ってから、ずっと付き合いは途絶えていた。その乃梨子と、こんなことで連絡を取らなければならなくなったことが薫にはたまらなかった。もっと幸せな家庭の姿を見せたかった。

それらのことに加えて、薫自身もまた、数年前とは生活が変わっていた。

二年前、五年間店長として勤めたオーガニックランチショップ『ナチュラル』は、経営不振のために閉鎖された。近くに大手資本の似たような店がオープンしたことや、ハンバーガー店が驚くような安い値段で販売し始めたことで客が流れてしまった。薫にしたらもう少し頑張れば客を取り戻せると思ったのだが、経営者の決断は早かった。

経営不振の原因は決して自分のせいばかりではないはずだ。けれども店長としての責任は取るしかなく、結局、辞めることになった。

とにもかくにも、こんなふうに何をどう考えてもため息ばかりの出来事が続いていた。

会社も辞めたというのに、いったいどこに行っているのか、今夜も沙絵が帰って来たのは十時を過ぎていた。

「ただいま」

玄関で小さく声があって、沙絵はそのまま二階に上がって行こうとした。

「ちょっと沙絵、いらっしゃい」

自分の声がもう硬くなっている。娘が不倫していたという現実は、そう簡単に記憶の底に追いやることはできない。せめて性的なものを想像しないようにするのが精一杯の逃げ道だ。

沙絵が居間のドアを開け「ただいま」ともう一度言った。

「乃梨子の会社、ちゃんと断ったでしょうね」

沙絵は返事をしなかった。

「どうなの、断ったの？」

沙絵が居間に入って来て、ソファに腰を下ろした。

「お母さん」

ああ、この子が……と、薫は娘の顔から目を逸らした。まだとてもショックから立ち直れない。

「私、どうしてもおばさまのところで働きたいの」

「家にいるのがいやなら何かすればいいわ。あなた、まともに習いごともしてないんだから、お料理とか着付け教室とか色々あるでしょう。そういうことをやりなさい」

「私は仕事をしたいの」

「今更、何を言ってるの。せっかくあんないい会社に入っておきながら、ちゃんと仕事をしなかったのはあなたじゃないの」

沙絵が目を伏せる。

そんな姿を見て、薫はどうしていいのかわからなくなる。かわいそうだと思っている。確かに不倫だったかもしれないが、悪いのは「必ず妻と別れる」と言ったあの男なのだ。あんな男に引っ掛かって、沙絵はひどく傷ついている。優しくしてやらなければ、慰めてやらなければ。そう思いながらも、気持ちはやはり裏切られたという感が強い。

「お母さんやお父さんには申し訳ないと思ってる。私、本当に馬鹿だった。今度のことで、ようやく目が覚めたの。私、これからはひとりでも生きてゆけるようになりたいの。そのためにもきちんと仕事をしてゆきたいの」

「まさか、あなた、乃梨子みたいに一生独身を通すつもりなんじゃないでしょうね」

「それは、わからない」

「そんなこと考えるのはおよしなさい」

「どうして？」

「今はしょうがないかもしれないけど、もう少ししたら、ちゃんといい人を見つけて家庭を持つの。何だかんだ言ったって、それが結局、いちばん幸福なことなんだから」

沙絵が顔を上げた。

「お母さんは幸福だった？」

「え」

一瞬、怯んだものの、薫は強く頷いた。

「もちろんよ、幸福に決まってるじゃないの」

「じゃあ、乃梨子おばさまは不幸だったと思う？」

「それは……他人のことはわからないわ」

「そうでしょう、幸福なんて人それぞれだもの、自分以外の誰にもわからないことだと思うの」

それから沙絵は改めて薫に目を向けた。

「今の私は、結婚なんて考えられない。だからって一生独身でいるって決めたわけでもない。ふさわしい人が現れたら、そうなるかもしれないし、でも、もしかしたらそういう人とめぐり会えないかもしれない。ただ、そんな、あるかないかわからないことを期待して生きてゆくようなことしたくないの。この先、何があろうと、まずは自分の足でちゃんと立って歩けるような人間でありたいの」

薫は狼狽《うろた》えていた。沙絵の言っていることが、わかるようでわからない。それはどういうことなのだろう。やはり母親である自分を否定しているということなのだろうか。

「だからって、何も、乃梨子のところじゃなくたって……」

「インターネットで会社案内を調べたら、おばさまの会社は女性が働くことにとても理解を持っていることがわかったわ。資格や免許を取ったりするのにも積極的で、援助もしてくれる。独身も既婚者も子供のある女性もいて、小規模だけど、だからこそそれぞれ不公平にならないような職場環境になってるの。どうせなら、そういうところで働きたいの。もちろん、旅行プランをたてるという仕事に興味があるからというのがいちばんの理由よ」

薫は黙った。何をどう言っていいのかやはりわからなかった。何だか沙絵が遠くに行ってしまいそうに思えた。そこは自分とは正反対の場所、乃梨子のいる場所だ。

「お母さん、生意気に聞こえるかもしれないけど、私、自分のことは自分で決める。もうそうして当たり前の年なんだもの」

結婚して三年、子供がなかなかできなくて、沙絵がようやく授かった時は心から神様に感謝した。嬉しくて、毎日おなかの沙絵に語りかけ、モーツァルトやバッハを聞かせた。生まれた沙絵は何をさせても利発で、名門の幼稚園も難なく合格し、近所でも評判の出来のいい子だった。下の洪太が生まれた時は、赤ちゃん返りをして困らせられたこともあるが、それも懐かしい思い出だ。

こうして思い出されるのは、まだ小さな頃の沙絵ばかりだった。大きくなるに従って、薫の膝に甘えて来ることもなくなり、やがて秘密はみんな自分の部屋に持ち込むようになり、親よりも友達が大切になり、口も達者になって、いつか親から離れて行った。

思わず、誰に育ててもらったと思ってるの、と恩着せがましいことを言いそうになった。

薫は首を振った。ずっと前、聞いたことがある。子供というのは、三歳までに一生分の恩返しをしているのだ、と。そうかもしれない。あの時、沙絵を胸に抱いた時の幸福は、今思い出しても温かく薫を満たしてくれる。

「それでね、私、実はアパートも借りたの。ここのところ不動産回りをして、遅くなってたのもそのせい」

「えっ」

思い出に浸っていた薫は、瞬く間に現実に引き戻された。

「そんな、アパートだなんて、どうして」

「この年まで親の世話になってる方がおかしいのよ」

「でも、いつかは出てゆく時が来るんだし……」

「そうね、私も何となくそう思ってた。きっと結婚する時に出て行くことになるんだろうって。でも、そんな日が来るかも、もうわからないから」

「だったら、それはそれでずっとここに住めばいいじゃない。家賃だって浮くし、食費だって光熱費だって」

「そういうことも、ちゃんと自分で管理してゆきたいの。私、いったい電気代が一ヵ月にいくらかかるのかさえわからないのよ。考えたら、すごく恥ずかしいことだわ」

「だからって、相談もせずに」

「そうしたら、反対されるってわかってたから」

「でもね、沙絵」

「もう決めたの」

薫は感情を抑えきれなくなり、思わず声を高めた。

「沙絵までいなくなったら、お母さん、どうすればいいの。洪太はイギリスから帰って来ない、お父さんは来年は田舎に行くって言ってる、そうしたら、お母さん、この家でひとりじゃないの。そんな、ひとりでどうすればいいのよ」

「まだまだ元気じゃない、何だってやれるわ」

「そんな勝手なこと言って。私は絶対に」

許しません、と言おうとして、薫は沙絵と目を合わせた。そうして言葉を呑み込んだ。そこには薫の知らない大人の顔をした沙絵がいた。この子はいったいいつの間に、こんな大人になっていたのだろう。

「お父さんには、私からちゃんと話すから、だから、ね、わかって。ごめんなさい」

もう言葉は出てこなかった。

あれから薫は気が抜けたようにぼんやり暮らしている。

沙絵がアパートを借りたことを、郁夫は反対しなかった。たぶん、そうなるだろうという予想はついていた。

女の子ということで、郁夫にとっても可愛くてたまらない娘の沙絵だったが、あの騒動以来、郁夫の顔にはまたひとつ諦めの表情が加わるようになっていた。

若い頃は諦めの表情なんて欠けらもなかった。いつも期待と可能性に満ちていた。最初は重役に残れなかったことだったかもしれない。それから洪太を留学に出す時。そうして、今回の沙絵の不倫と独立。その他にもたぶん、薫の知らないところで、さまざまなことを郁夫は諦めてきたのだろう。薫だって同じだ。叶えられたことに較べて、諦めてきたことの方がどれほど多いか。

長く生きていると、いいことと悪いことの数のバランスが少しずつ崩れて来る。よくて八勝七敗、悪くて七勝八敗、人生なんてそんな程度だと思うのだが、終わりに近付いて来るに従って負けがこんでくるように思える。

「もう還暦だものね」

小さく呟いた。

今は両家の両親ともに逝《い》ってしまっている。ぽつりぽつりと同年代の知人たちの死も報《しら》されるようになっていた。自分たちもいずれはそこに行くことになるだろう。

何をどう生きようと、行き着くところは結局同じ。

それはどこか可笑《おか》しく感じられた。それでいて哀しいような、ホッとするような気持ちにもなった。

「女の平均寿命までうまく生きられて、あと二十五年か……」

長いのか、短いのか。ただ、年をこうして逆算する年代に入ったということだけは確かだ。

「どこか旅行に行かない？」

ふたりきりの食卓で、薫は言った。

テーブルには焼き魚や野菜の煮付けといったシンプルな料理が並んでいる。決して手を抜いているわけではなくて、ふたりとも、もう手のこんだ料理よりこんなあっさりした食事が好みに合うようになっていた。

「どうした、急に」

「何となく、そんな気になって」

テーブルの広さがやけに目につく。このテーブルは薫が嫁いできた時、家族が増えてもいいように、と、標準サイズより大きめのを選んで持ってきたものだった。

「旅行か、悪くないな」

めずらしく郁夫から同意の言葉が洩れた。

「あら、いいの」

「まあな」

「だったら思い切って海外なんかどう？　一週間ぐらいお休み取れない？」

「何とかならないわけでもない」

「考えてみたら、ふたりで海外旅行なんて初めてね。新婚旅行のハワイの時もほら、あなたのご両親が一緒だったし」

　郁夫がわずかに目を細めた。

「そうだったな、親父、似合わないアロハシャツなんか着てはしゃいでたっけ」

「あの時は、ふたりじゃないっていうのが不満だったけど、今となったらいい思い出だわ」

　ああ、と呟いて、郁夫が箸を止めた。

「どうしたの？」

「あの時の親父と同い年になったよ、俺」

「あら、まあ、いつの間に」

　そうして、ふたりで目を合わせて笑い合った。

「ハワイがいいわね。何だか行ってみたくなったわ、もう一度」

　それからさり気なく付け加えた。

「きっと、沙絵がいいプランをたててくれるんじゃないかしら」

　郁夫はわずかに困ったように眉をひそめたが、やがて小さく呟いた。

「ああ、そうだな」

† 乃梨子

　出先から事務所に戻った時には、そろそろ夜の九時になろうとしていた。

今日は午後から三軒も得意先回りをして、さすがに疲れてしまった。首を回すと、ごりごりと情けない音がした。

今日は金曜日、明日から二日間休みと思うとホッとする。

それにしても、と、今度は腰をさすりながら乃梨子は思った。

若い頃は、これくらいの時間まで仕事をするなど当たり前だった。それから平気でみんなと飲みに出掛け、帰りは午前様になっても、翌朝はいちばんに出社したものだ。

健康だけが取り柄で何とかここまでやって来たが、さすがにもう無理は利かなくなった。人から「その年には見えない」と言われても、体力の衰えは自分がいちばんよくわかっている。

「還暦だものね」

口にして、今更ながらびっくりした。

いったいいつの間にこんな年になってしまったのだろう。六十歳なんて遠い先のことだと思っていた。なのに、やっぱりちゃんとやって来るものだとため息が出る。

六十歳の女性はもっと思慮深く、人生を達観し、私利私欲は消え、すっかり枯れていると思っていた。

でも全然、違う。実際なってみて、全然そんな自分じゃないということがわかった。

確かに年はとった分、世の中のことはいくらか知ったし、自分をうまく装うことも覚えた。

けれども、自分の中にある基本的な性格は、昔から少しも変わっていない気がする。「三つ子の魂百まで」と言うけれど、そこまで戻らなくても、思春期の頃、生理が来た頃の自分と同じに思える。

乃梨子は思わず苦笑した。

三十歳を迎えた時も、四十歳を迎えた時も、五十歳を迎えた時も、確か同じことを感じたように思う。いつまでたっても、そんなことを繰り返しながら年をとっていくのだろうか。

事務所に入ると、いちばん隅の席から沙絵が顔を向けた。

「あ、お疲れさまです」

「どうしたの、こんなに遅くまで」

「ちょっとやり残した仕事があったものですから。コーヒーでも淹れますか？」

沙絵が半分椅子から腰を浮かした。

「ううん、いいのよ。そんなことより、それは今夜どうしてもやらなきゃならない仕事なの？」

「週明けの会議で使うデータなんです」

「だったら、月曜日でいいじゃないの。もうお帰りなさい。ご家族が心配するわ」

言ってから、沙絵がひとり暮らしを始めたことを思い出した。

「ああ、アパートを借りたんだったわね」

「はい」

「でも、もういいから、とにかく今日は終わりにしなさい」

沙絵は小さく首をすくめた。

「わかりました」

「確か世田谷よね。真っすぐ帰るなら送ってあげるけど」

「もちろん、真っすぐ帰ります」

「じゃあ、ちょっと待ってて」

乃梨子は社長室に入り、資料や書類をキャビネットに入れ、それから沙絵と一緒に事務所を出た。

「すみません」

タクシーに乗り込むと、遠慮がちに沙絵が頭を下げた。

「いいのよ、どうせ通り道なんだから」

沙絵が事務所で働くことになった時、乃梨子は少し懸念していた。母親同士が知り合いということからどこか甘えが出てしまうのではないかと思ったのだ。けれども、沙絵にその様子はまったくなかった。間違えても、面接以来「おばさま」と呼んだこともない。正直言うと、少し寂しいくらいだった。

「どう、社員になってみて」

三ヵ月のアルバイト期間を終え、先月、沙絵は正式な社員になった。

働きぶりには何の不足もなかったが、母親の薫が反対しているのはわかっていた。社員にするか辞めさせるか、迷っている時、思いがけず、薫本人から連絡が入った。

沙絵をよろしくお願いします。

その声にはどこか諦めにも似た潔さがあった。それで決まりだった。

「いろいろと勉強することが多くて。旅行業務の資格試験はもちろんですけど、その他にも少し語学をやりたいと思ってるんです。フランス語と、北京語か広東語のどちらかを」

「頑張るのね」

「もう、やることがいっぱいあって、毎日楽しくて」

乃梨子は沙絵を眺めた。ちょうど沙絵の年の頃、自分は何をしていただろう。

主任に抜擢されて、初めてのマンションを購入した時だ。そういう意味では沙絵と同じく、さあこれからだと息巻いていた。けれども、仕事も恋愛も、楽しむというより、周りの女性たちにおいてきぼりをくわされたくなくてひたすら肩肘を張っていたように思う。

「社長」

「何？」

「社長って後悔したことありますか？」

唐突に質問されて、乃梨子はいくらか戸惑った。

「当たり前じゃない」

「本当ですか？」

「ないように見える？」

沙絵は大きく頷いた。

「すべて自分で決断して、自分の手で切り開いて、自分の足で人生を歩いて来たって見えます」

「あらあら」

乃梨子は思わず笑いだした。

「あなたにはそんなふうに見えるのね」

「違うんですか？」

「後悔なら、死ぬほどして来たわ」

「本当に？　たとえば、どんなことですか？」

「そうねえ、あの時、結婚すればよかったとか、短気を起こして会社を辞めなければよかったとか、マンションを買うのは早まったとか。細かいことならそれこそ数えきれないくらい」

「そうですか」

「でもね、いちばん後悔しているのは」

沙絵が顔を向けるのを感じた。

「どうしてもっと、自分の生き方に自信を持って来なかったのだろうってことかしら」

乃梨子はそれを沙絵にではなく、自分に言い聞かすように言った。

「何て言えばいいのかしら、もし、あの時ああしてたらって、自分のもうひとつの人生を勝手に想像して、それに嫉妬してしまうのね。何だか、いつも生きてない方の人生に負けたような気になっていたの。そんなもの、どこにもないのに、人生はひとつしか生きられないのに」

「何となくわかります、それ」

「そう？」

「まだ大して生きてもない私が言うのも生意気かもしれませんが」

「ぜんぜんよ。私があなたの年の頃は、もっと生意気だったわ」

ふと車窓に顔を向けると、夜の景色が滲んで流れて行くのが見えた。

最近、乃梨子は身の回りのものを整理するのが趣味になっている。

一時は夢中だった買物やお芝居にも、今はもうあまり興味はない。それよりも、押し入れや本棚の奥に詰め込んであるものを引っ張り出している方が楽しく思える。

今日も段ボール一箱分の本と雑誌、ビニール袋ひとつ分の衣服を整理した。毎週、月曜日が資源回収の日なので、週末はいつもこんな調子で過ごしてしまう。

身の回りからモノが減ると、それだけで身軽な気持ちになった。欲しいものがなくなったわけではないが、これからは本当に気に入ったものを数少なく持っていたいと思う。

父が死んだ時、遺品はみな母が整理したが、母が死んだ時は大変だった。もともと、昔の人はモノが捨てられない。衣類や本ばかりでなく、菓子箱の包装紙や袋、紐《ひも》のたぐいまで大切にしまいこんであり、後を任された義姉はうんざりしていた。

それでも、整理してくれる家族がいるだけましだ。もし自分に何かあったら、この家に残されたものはいったい誰が処分してくれるのだろう。もしかしたら、知らない業者の手が入ることになるかもしれない。それを思うと、やはり、自分でできるだけのことはしておかなければと思う。

それに加えて、会社のことも気になり始めていた。経営を自分ばかりが牛耳っているわけにもいかないだろう。後継者を育てるか、それとも自分一代で畳んでしまうか。社員たちの将来も考えなくてはならず、そうのんびり構えているわけにもいかなくなって来た。

少しは預金もあるし、すっかり安くなってしまったが、このマンションを売却すれば、医療や介護がセットされたどこか気候のいい施設に入ることもできるだろう。どうせひとりなのだから、老後はそんなところで気楽に過ごせればいいと思っている。

時折、ひとりであることに同情的な目を向けられることもあったが、乃梨子自身は悲壮感というより、最近はむしろさっぱりした気持ちになっていた。

孤独な老後。

若い頃の方が、それをよほど恐れていたように思う。今は、なるようになる、という思いの方が強い。どんなに悲観的に考えても、物事はどうせ何も変わらないのだから、だったら楽観的に生きた方がずっと得だ。どうせみんな、いつかは死んでゆくのだから。

明日の資源回収の分のまとめが終わり、今夜の食事をどうしようか考えていると、電話が鳴り始めた。

「よかったら、夕ごはんでも一緒にどうかと思って」

薫だった。


銀座で待ち合わせ、ちょっと奮発して名のある料理屋に入った。

運ばれてきた小綺麗に盛られた八寸《はっすん》に箸を伸ばし、冷酒を飲み始めると、最初は靄《もや》のように漂っていたどこかぎこちない雰囲気も、少しずつほぐれていった。

「沙絵はどう？」

薫が目の周りを少し赤くして尋ねた。昔はずいぶん強かったのに、今はおちょこ三杯でもうこんなだ。

「とてもよくやってくれてるわ。あれこれ指示しないと何もできない若い子の中で、ちゃんと先まで読みながら仕事をしてくれるの。気が利くのは薫の血筋ね」

「いやね、今更、お世辞なんて」

「ううん、ほんとにそう。薫は気配りができて、勤めていた頃からみんなに大事にされてたもの」

「でも、仕事ではいつも乃梨子にかなわなかったわ。何て言うか、そういうところをカバーするには気を利かすのがいちばんと思ってたから、結構、必死だったのよ」

「それを言うなら私こそ必死だったわ。どんなに仕事を頑張っても、ウケは薫の方がずっとよくて、取引先の人から『今度は彼女も連れて来てよ』なんて言われて、いつもどんなにガッカリしてたか」

「あら、そんなことあったの？」

「私、相当傷ついてたんだから」

薫が乃梨子の杯に冷酒を満たした。

「今となっては、笑い話だけれど」

「そうね、やっぱり時間ってすごいわね、みんな笑い話にできちゃうんだから」

「まさか、私たちがこんな年になるとはね」

「ほんと。時々、何かの間違いじゃないかと思うわ。目が覚めると、あの頃の自分に戻ってるの」

「ねえ、でもどう？　本当にあの頃に戻りたいと思う？」

薫はわずかに目を上げ、ゆっくりと首を振った。

「ううん、もう、ごめんだわ。生き直すなんて面倒。乃梨子はどう？」

「私もよ。人生は一度でたくさん」

「そうよね」

今度は乃梨子が薫の杯に注ぐ。

「正直言うと、私、よく想像したわ。もし、乃梨子と人生が入れ替わってたらどうなってただろうって」

「あら、私も同じよ。幸せそうな薫を見るたび羨ましくて、何だか人生を間違えたような気になってた」

「乃梨子が？　信じられない」

「たぶん、薫の五倍は思ったわ」

「だったら、私はそのまた五倍」

「もし、入れ替わってたら、どうなってたと思う？」

薫はわずかに首を傾げた。

「そうねぇ……わからないわね。ただ、たとえそうなっていても、乃梨子と同じには生きられなかったことだけはわかるわ」

「それは私も同じよ、やっぱり薫にはなれなかったと思うから」

「お互い、結局、ないものねだりをしてただけなのよね」

「そうみたい。でも、これでいいんだと自信を持って生きてる人って、どれくらいいるのかしら」

「自分以外の人は、みんなそんなふうに見えるけど」

「そう、自分以外の人はね」

料理がテーブルに並べられてゆく。見た目も美しい。食欲はたぶん視覚と直結している。

「でも、まだ結論を出すのは早過ぎるわ。平均寿命まで二十年以上もあるんだもの」

乃梨子は改めて薫に顔を向けた。

「あら、何かやるつもりなの？」

「私、主婦だけの期間が長かったでしょう、お弁当屋で働いてみて、やっぱり働くのは大切なことだと痛感したの。遅ればせながら、今、ヘルパーの資格取得の勉強中」

「へえ、頑張るのね」

「乃梨子はどうなの？」

「そういう意味では、私はずっと仕事ばかりして来たでしょう。これから、趣味を持ったりサークルに入ったりして、ちょっと解放されたい気分なの。そこで、素敵な紳士と出会うっていうのも悪くないなぁなんて」

「あら、いいわね、それ」

料理が半分ほど出揃ったところで、薫がわずかに声をひそめた。

「ねえ、ここのお料理、見栄えはいいけど、材料ちょっと安っぽくない?」

乃梨子も素早く頷いた。

「ほんと、鮑《あわび》なんか向こうが透けちゃうくらい薄いんだもの、びっくりだわ」

「ねえ、今度、もっとおいしいものを食べに行きましょうよ」

「いいわね、いろいろ私も情報を仕入れとくわ。でも、冷酒はもう一本いけるでしょ」

「もちろんよ」

今日が、少しずつ、昨日に近づいてゆく。

生きて来たすべての時間を、こうして昨日に変えてきた。そうやって今日を昨日にしなければ、明日という日もやって来ない。

まだ、途中だから。生きている途中だから。

「すみません、同じのをもう一本」

乃梨子は店の人に手を上げて、空になった銚子を指差した。


(完)

おわりに

この小説が女性週刊誌で連載することが決まった時、せっかくだから、女性の悩みも不満も怒りも寂しさも、もちろん嬉しさも喜びもときめきも、みんな盛り込もうと欲張った気持ちになっていました。

それを描くためには、どうしても主人公がひとりでは書き切れず、また長いスパンが必要とわかり、ふたりの女性の二十七歳から六十歳までの年月を書くことにしました。

ただ、これは時代を反映させていません。二十七歳の時も、三十三年前ではなく「今」が舞台です。四十二歳も六十歳も同じです。なので、読まれた方は少し違和感を覚えるかもしれません。

三十三年前だったら仕方ない、十八年前ならこうだろう、という感覚でまとめたくなかったので、こんな形になりました。

これはいわば「女の勝負」の小説ということになるのでしょうが、私自身、書きながら何度思ったことか。

結局、ライバルは生きられなかった私のもうひとつの人生だということに。後悔というのではないのですが、今も時々「あの時、ああしていたら」と考えている自分がいます。そしてたぶん、生きていない方の人生の私も、同じことを考えているのではないかと思い、笑ってしまいます。

最後になりましたが、お忙しい中、解説を快く引き受けてくださった吉川トリコさん、ありがとうございました。

そして、この本を手にしてくださったすべての方に心から感謝します。

唯川　恵

解説

吉川《よしかわ》トリコ（作家）

永遠について考えるとき、決まって私は途方に暮れてしまう。あまりに大きく、とてつもない拡がりをみせる永遠という言葉の前に呆然としているうちに、意識がどこかずっと遠くのほうへ飛びすさっていこうとするのに気づいて、はっとする。わっ、あぶないあぶない、なんだかこわいかんじがするからあんまり深く考えるのはよそう。そうして私は、永遠につかまってしまわないように、永遠から逃げる。それは人生について考えるときに似ている。

本書『永遠の途中』は、これまで私が必死の思いで逃げてきた（ときどき、つかまってドツボにはまったりした）、女の人生にまつわるさまざまなこと——仕事、恋愛、結婚、出産など——をまざまざと突きつけてくる。私にとっては、「人生の先輩」のような一冊。

「あんたね、もう三十なんだから、ちょっと真剣に人生について考えなさいよ」

と、「人生の先輩」（ここでは当然のように唯川恵さんの姿形をしている）に首根っこをつかまれたような心持ちで、やっぱり途方に暮れそうになったり、逃げ出したくなったり、泣きそうになったり、恐怖で震えそうになりながらの読書になった。

薫と乃梨子、ふたりの女性の視点から交互に物語は語られる。家庭に生きることを選択した女と仕事に生きることを選択した女、まったく対照的なふたりの女性の二十七歳から六十歳までの物語、と簡単に括《くく》ってしまえればいいのだけれど、彼女たちは決して能動的に自分の生き方を選択したわけではない。

薫は冒頭で、「自分の意志とは関係なく備わったいわば運命のようなもの」に従い、自分は仕事に生きる人間ではないと「認め」て、結婚する。一方、乃梨子は、物語の終盤近く「どうして結婚しなかったんですか？」と尋ねられ、「自分の意志で『しない』と決めてきた」わけではないと気づき、返答に詰まる。

ふと自分にたちかえって考えてみると、私自身、なにも選んできていないことに気づく。身につけるもののひとつとっても、子どものころは母親の顔色を窺い、思春期のころは友だちの顔色を窺い、成人してからは恋人の顔色を窺いながら選択してきた。自信を持ってはっきりと、いまここにいる自分を自分で選択したとは言えない。

薫と乃梨子というふたりの女性を、まるでもうひとりの自分のような近しい存在だと感じられる理由はそこにあるのだと思う。もしこれが、「私は全部自分で決めて、自分の人生を自分の手で切り開いてきたのよっ！」などと鼻息も荒く叫ぶ自信たっぷりの女性として描かれていたら、私の心は彼女たちに寄り添うことはなく、「へー、そいつはすごいっすね」という遠巻きな感想しか持たなかっただろう。

能動的に人生の選択をしてこなかったからこそ、彼女たちは揺れ続ける。自分の人生に自信を持てないまま歳を重ね、ゆらゆらと頼りなく揺れ続け、やがて六十歳を迎えた乃梨子は、六十歳という年齢を意外な気持ちで受け止める。

「若い頃に想像していたより、六十歳は決して成熟した人間ではない」

だれもが一度は感じることなのではないだろうか。私はこれまで何度もそういった思いにとらわれてきたし、いまもそう感じている。まさかこんなに幼稚で、いいかげんで、未熟なまま三十歳という年齢を迎えるとは思ってもみなかった。

しかし乃梨子は六十歳でそう感じるのだ。六十歳！　ああ、なんだか気が遠くなってきた。歳を重ねさえすれば、自然と生きやすくなるものだとばかり思っていたのに、どうもそうではないらしい。ここで私は一旦本を閉じ、布団にもぐってお昼寝してしまいそうなダメージを受けたのだけれど、どこからか「そんなふうにぼんやり生きてるうちにあっというまに六十になっちゃうわよ！」という先輩の叱咤が聞こえてきて、はっと飛び起きた。先輩は容赦ない。

結果的にまったく異なる人生を歩むことになった薫と乃梨子は、二十七歳から六十歳までの長い時間の中で、それぞれお互いに羨望だったり嫉妬だったり、優越感だったり同情心だったりを抱いたりする。そのたびに自分の人生をふりかえり、本当にこれでよかったんだろうか、と不安になったり、私の選択は間違っていなかったのだ、と安心したりする。

作中で「友達でも何でもなかったのかもしれない」と語られているように、彼女たちを結んでいるものは友情ではないのかもしれない。だけれど、薫と乃梨子はどうしようもなく互いの人生にかかわりあっている。

お互いの人生に、どこかにあったかもしれないもうひとりの自分の人生を重ね合わせ、負けるわけにはいかないと躍起になって見栄を張り、どちらがより豊かな人生を歩んでいるか、どちらがより満たされているかを競い合う彼女たちの姿に、読者はやはり「もうひとりの自分」を見る。

現在独身で、結婚の予定もなく、できれば一生仕事をしたいと考えている私は、普通に考えれば薫よりも乃梨子に肩入れしてしまいそうなのだけれど、なぜか不思議と、どちらにも同じぐらい共感をおぼえたし、反感もおぼえた。女の弱さ、醜さ、浅ましさ、愚かさを剝《む》きだしにするふたりの女性を見つめる唯川さんの眼差しが、平等に厳しく、平等にあたたかいから、そう感じたのだろう。薫と乃梨子を通して、唯川さんの眼差しは読者にまで届いてくる。この本を読んでいる最中、何度も「あんた、ほんとどうしようもない女ねえ」と厳しいことを言われながら、やわらかく抱擁してもらえるような安心感をおぼえたのはそのためだと思う。

「人生の先輩」に首根っこをつかまれ、ときどき叱咤されたり、激励されたりしながら、すがるようにページを繰った。人生について考えることをおそれている私は、先輩が最後に提示してくれる答えをそのまま飲み込んで、それで自分の人生をどうにかしようと思っていた。が、しかし。

本を閉じて、私は叫んだ。

「先輩、そりゃないっすよ！」

先輩はこの本のラストにわかりやすい答えを提示してくれなかった。おろおろする私のお尻をぺちんと叩き、「自分で考えなさい、自分の人生なのだから」と先輩は言う。

たとえば「自分らしく生きよう」などというわかりやすくありがちな答えを提示して物語を閉じることも可能だったはずだ。しかし、先輩はそうしない。頑《かたく》なまでの厳しさで、安易な答えを出すことを拒んでいるようにすら見える。そうして私は気づく。そうか、先輩もまた、私と同じように「生きてる途中」なのだ。これからもまだまだ迷い、揺れ続けるのだ、と。

しかし先輩は厳しいだけでは終わらない。最後に、ヒントになるような言葉を残してくれている。

「どうしてもっと、自分の生き方に自信を持って来なかったのだろう」

なんとも心がしんとする一文だ。

自分の生き方に自信を持つということは、しかしそんなに容易なことではないだろう。自分らしくだなんていちいち肩肘《かたひじ》を張らなくても、どうしたって自分は自分としてしか生きられない。それを踏まえた上で、どうすればいいのか。自分自身で、頭をひねって考えることで、私たちは自分の生き方に自信を持つための一歩を踏み出せるような気がする。

　いま、私は、永遠という言葉を目の前に、やはり後ずさりしたいような、背を向けてぴゅーっと逃げたくなるような気分に駆《か》られる。けれどまだ永遠の途中にいるのだと思えば、たちまちすとんと胸に「永遠」が降りてくる。

　どうしたってこわいし、不安なことはいっぱいあるし、これからまだまだいろんなことが待ち受けているだろう。だけれど、それも全部、「途中」だからなのだ。ふっと前を見れば、しゃんと背筋を伸ばしたうつくしい立ち姿の先輩がいるし、まわりを見渡せば、こちらに手を伸ばしている、いとしい女たちの顔がある。

　さあ行こう。

●初　出　「女性自身」二〇〇二年五月七・一四日合併号～二〇〇二年一〇月二九日号
●単行本　二〇〇三年五月　光文社刊

光文社文庫

永《えい》遠《えん》の途《と》中《ちゅう》

著　者　唯《ゆい》川《かわ》恵《けい》

2007年8月20日　初版1刷発行

発行者　駒井稔
印　刷　萩原印刷
製　本　ナショナル製本

発行所　株式会社 光文社
〒112-8011　東京都文京区音羽1-16-6
電話　(03)5395-8149　編集部
8114　販売部
8125　業務部

落丁本・乱丁本は業務部にご連絡くだされば、お取替えいたします。
ISBN978-4-334-74288-1　Printed in Japan

お願い　光文社文庫をお読みになって、いかがでございましたか。「読後の感想」を編集部あてに、ぜひお送りください。

このほか光文社文庫では、どんな本をお読みになりましたか。これから、どういう本をご希望ですか。

どの本も、誤植がないようつとめていますが、もしお気づきの点がございましたら、お教えください。ご職業、ご年齢などもお書きそえいただければ幸いです。当社の規定により本来の目的以外に使用せず、大切に扱わせていただきます。

光文社文庫編集部

宮部みゆき　東京下町殺人暮色
宮部みゆき　スナーク狩り
宮部みゆき　長い長い殺人
宮部みゆき　鳩笛草　燔祭《はんさい》／朽ちてゆくまで
宮部みゆき　クロスファイア（上・下）
宮部みゆき編　贈る物語　Terror
宮部みゆき選　撫子《なでしこ》が斬る
唯川恵　別れの言葉を私から
唯川恵　刹那に似てせつなく
唯川恵選　こんなにも恋はせつない

山田詠美編　せつない話
山田詠美編　せつない話　第2集
若竹七海　ヴィラ・マグノリアの殺人
若竹七海　名探偵は密航中
若竹七海　古書店アゼリアの死体
若竹七海　死んでも治らない
若竹七海　閉ざされた夏
若竹七海　火天風神
若竹七海　海神《ネプチューン》の晩餐
若竹七海　船上にて

日本ペンクラブ編　名作アンソロジー

- 阿刀田高 選　奇妙な恋の物語
- 阿刀田高 選　恐怖特急
- 五木寛之 選　こころの羅針盤《コンパス》
- 井上ひさし 選　水
- 司馬遼太郎ほか 選　歴史の零《こぼ》れもの
- 司馬遼太郎ほか 選　新選組読本
- 西村京太郎ほか 選　殺意を運ぶ列車
- 林 望 選　買いも買ったり
- 唯川 恵 選　こんなにも恋はせつない　〈恋愛小説アンソロジー〉
- 江國香織 選　ただならぬ午睡　〈恋愛小説アンソロジー〉
- 小池真理子 藤田宜永 選　甘やかな祝祭　〈恋愛小説アンソロジー〉
- 川上弘美 選　感じて。息づかいを。　〈恋愛小説アンソロジー〉
- 西村京太郎 選　鉄路に咲く物語　〈鉄道小説アンソロジー〉
- 宮部みゆき 選　撫子《なでしこ》が斬る　〈女性作家捕物帳アンソロジー〉
- 石田衣良 選　男の涙 女の涙　〈せつない小説アンソロジー〉
- 浅田次郎 選　人恋しい雨の夜に　〈せつない小説アンソロジー〉